令和7年版

司法書士

合格ゾーン

ポケット判

択一過去問肢集

1 民法I 総則
物権
担保物権

JN111863

# はしがき

## ＜本書のねらい＞

　資格試験における短期合格の鉄則は、試験の出題傾向に合致した学習をすることです。司法書士試験もその例外ではありません。その意味で本試験に過去出題された問題は、試験合格のための参考資料の宝の山といえます。合理的学習の第一歩として、頻出とされる知識を「繰り返し」学習することにより、その出題内容と内容の深さの程度や、出題傾向を把握することが重要となります。本書は今後出題されることが予想される重要な過去問を選び出し掲載することにより、「繰り返し」学習を効率的に行うことが可能となっています。

## ＜本書の特長＞

(1)　膨大な過去問から本当に必要な知識を厳選し、体系別又は条文順に配列し直して掲載しました。また解答を導き出すのに必要な知識を解説部分にコンパクトにまとめて掲載しました。

(2)　令和7年4月1日時点で施行が確実な法令に合わせて解説の改訂をしており、法改正により影響を受ける問題については、同日施行予定の法令で解けるよう過去問を編集し掲載しています。

(3)　問題ごとに過去問の番号を付しました。また、同系統の問題は代表的なものを掲載し、過去問の番号を連記しました。

(4)　左頁に問題を、右頁に解答・解説を掲載しているので、解いた問題をすばやくチェックできます。それにより、弱点を早く発見でき効率的な総復習に役立ちます。

(5)　あらゆるところに持ち運びができ、通勤通学の電車の中など、コマギレの時間を有効活用できるよう、コンパクトなＢ６判で刊行しました。


　なお、さらに実践力を磨きたい方には、ＬＥＣの「精撰答練」の利用をおすすめします。質の高い予想問題を解くことで、さらなるレベルアップを図ることができます。

　司法書士試験合格を目指し勉学に励んでいる多くの方々が、本書を有効に活用することで１年でも早く合格されることを願います。


2024年7月吉日


株式会社　東京リーガルマインド
ＬＥＣ総合研究所　司法書士試験部

# 本書の効果的利用法

左ページ

## 問題

学習項目を表示。

## ❺ 条件・期限

### 条件

時間のない直前期に絶対に押さえてほしい問題をマーキング！

**128**

停止条件付法律行為について条件が成就し〔 〕を有していたものとみなされる。

**129**　　　　平31-5-ア

ある事実が発生しないことを停止条件とする法律行為は、無効とな〔 〕

本書は、択一式試験問題を各選択肢ごとに掲載し、過去の本試験の出題実績は下記のように表記しています（法改正等により、問題として成立しなくなったものについては掲載していません）。
【例】平27-4-イ → 平成27年本試験において、問4のイ肢として出題。

平21-4-オ（平17-6-ア）

〔 〕然に、その条件が付された法律〔 〕、その法律行為の効力が消滅す〔 〕

平2-16-5（平17-6-オ）

法律行為の当時、停止条件の不成就が既に確定していた場合に、当事者がそれを知らなかったときは、無条件の法律行為となる。

**132**　　　　平24-5-オ

Yは、Xと〔 〕間で、Xが半年後に実施される資格試験に合格したら、Y所有の甲時計をXに贈与する旨を約した。その後、Yは、故意に〔 〕れを知り、当該資格試験に合格した後、〔 〕く甲時計の価額相当分の損害賠償を請〔 〕に対する請求は認められる。

「正解チェック欄」をつけました。直前期の総復習に、有効活用してください。

右ページ

# 解答・解説

出題知識の確認ができる
よう「司法書士合格ゾー
ンテキスト」のリンク先
を記載しています。

民法総則

❺ 条件・期限

× **128**

停止条件付法律行為は、~~~~~が
停止しているため、原則として条件成就時に効力が発生する(127
Ⅰ)。

× **129**

条件が成就することにより、法律行為の効力が発生する条件を「停
止条件」という。この点、ある事実が発生しないことを停止条件
とする法~~

問題を解く前に解答・解説が見え
ないようにしたい方は、本書には
さみ込まれた「解答かくしシート」
をご利用ください。

× **130**

解除条件~~~~~~~~~~~~~力
を失うの~~~~~~~~~~~~~~~~より
効果を~~~~~~~~~~~~~~~~~~る
(127Ⅲ)。

× **131**

停止条件付きの法律行為は、不成就に確定すれば~~
することはなく法律上、無意味であるから無効と~~
この効果は、当事者の主観により左右される~~

ポイントを集約した解説。
また、解説の重要なキー
ワードは青文字で強調し
ています。

○ **132**

条件付法律行為の各当事者は、条件の成否が未定である間は、条
件が成就した場合にその法律行為から生ずべき相手方の利益を害
することができず(128)、一方当事者が有する条件付権利を侵
害した他方当事者は<u>不法行為に基づく損害賠償責任を負う</u>
(709)。

# CONTENTS

# 第1編

# 民法総則

# ① 私権の主体

## 自然人

### 001 ☐☐☐ 平27-4-オ

未成年者が法定代理人の同意を得ないで贈与を受けた場合において、その贈与契約が負担付のものでないときは、その未成年者は、その贈与契約を取り消すことはできない。

### 002 ☐☐☐ 平27-4-イ

養子である未成年者が実親の同意を得て法律行為をしたときは、その未成年者の養親は、その法律行為を取り消すことはできない。

### 003 ☐☐☐ 平31-4-ア

法定代理人が目的を定めないで処分を許した財産は、未成年者が自由に処分することができる。

### 004 ☐☐☐ 令4-4-エ

未成年者が特定の営業について法定代理人の許可を受けた場合には、その営業に関する法律行為については、行為能力の制限を理由として取り消すことができない。

○ **001**

未成年者が、単に権利を得、又は義務を免れる法律行為をする場合には、法定代理人の同意は不要である（5Ⅰ但書）。したがって、本肢の場合、未成年者は、贈与契約を取り消すことはできない。

× **002**

未成年の子は、原則として父母の親権に服するが、子が養子であるときは、養親の親権に服することとなる（818Ⅰ・Ⅱ）。したがって、養子である未成年者が親権を有しない実親の同意を得て法律行為をしたときであっても、その未成年者の養親は、その法律行為を取り消すことができる。

○ **003**

法定代理人が目的を定めないで処分を許した財産も、未成年者が自由に処分することができる（5Ⅲ後段）。

○ **004**

一種又は数種の営業を許された未成年者は、その営業に関しては、成年者と同一の行為能力を有する（6Ⅰ）。そのため、未成年者が法定代理人の同意なしに行う営業に関する法律行為は、制限行為能力を理由に取り消すことができない。

意思表示の相手方がその意思表示を受けた時に未成年者であった
ときは、表意者は、その意思表示を取り消すことができる。

Aが未成年者Bに対して建物を売却し、Bが成年に達した後、Aが
Bに対し相当の期間を定めて催告したが、Bがその期間内に確答を
発しなかったときは、Bは追認したものとみなされる。

未成年者Aが、A所有のパソコン甲をAの唯一の親権者Bの同意
なく成年者Cに売る契約（以下「本件売買契約」という。）を締結
した事例において、本件売買契約を締結するに際し、AとCとの間
でAの年齢について話題になったことがなかったため、AはCに自
己が未成年者であることを告げず、CはAが成年者であると信じて
本件売買契約を締結した場合には、Aは、本件売買契約を取り消
すことができない。

未成年者と契約をした相手方が、その契約締結の当時、その未成
年者を成年者であると信じ、かつ、そのように信じたことについて
過失がなかった場合には、その未成年者は、その契約を取り消す
ことはできない。

## × 005

民法上、取り消すことができる行為として、制限行為能力者の行為（5Ⅱ・9・13Ⅳ・17Ⅳ）、錯誤（95Ⅰ）及び詐欺・強迫による意思表示（96Ⅰ）が規定されている。しかし、意思表示の相手方がその意思表示を受けた時に未成年者であったときに、表意者がその意思表示を取り消すことができる旨を定めた規定はない。

## ○ 006

Aは、Bが成年に達した後、相当の期間（条文上は「1か月以上の期間」）を定めて催告しており、その期間内に確答を発していないBは追認したものとみなされる（20Ⅰ）。

## × 007

制限行為能力者が行為能力者であることを信じさせるため詐術を用いたときは、その行為を取り消すことができない（21）。Aは、制限行為能力者であることを単に黙秘していただけであり、そのことのみをもって詐術に当たるとはいえないため、Aは本件売買契約を取り消すことができる（最判昭44.2.13参照）。

## × 008

本肢の場合、未成年者は、詐術を用いてはいないので、契約を取り消すことができる（21参照）。

## 009 ☐☐☐

精神上の障害により事理を弁識する能力を欠く常況にある者の四親等の親族は、その者について後見開始の審判の請求をすることができる。

## 010 ☐☐☐

後見開始の審判は、本人が請求をすることができる。

## 011 ☐☐☐

保佐開始の審判をするには、本人以外の者が請求する場合であっても、本人の同意を得ることを要しない。

## 012 ☐☐☐

成年後見人は、成年被後見人の財産を管理し、かつ、その財産に関する法律行為について成年被後見人を代表する。

## 013 ☐☐☐

家庭裁判所は、職権で成年後見人を選任することはできない。

## 014 ☐☐☐

成年被後見人が高価な絵画を購入するには、その成年後見人の同意を得なければならず、同意を得ずにされた売買契約は取り消すことができる。

## 015 ☐☐☐

成年被後見人がした行為は、日用品の購入その他日常生活に関する行為であっても、取り消すことができる。

○ **009**

四親等内の親族は、後見開始の審判の請求をすることができる（7）。

○ **010**

後見開始の審判は、本人が請求をすることができる（7）。ただし、本人は、意思能力を回復している必要がある。

○ **011**

本人以外の者の請求により保佐開始の審判をする場合であっても、本人の同意を要しない。

○ **012**

成年後見人は、成年被後見人の財産を管理し、かつ、その財産に関する法律行為について成年被後見人を代表する（859Ⅰ）。

× **013**

家庭裁判所は、後見開始の審判をするときは、職権で、成年後見人を選任する（843Ⅰ）。

× **014**

成年後見人に同意権はないから、同意の有無にかかわらず、成年被後見人がした法律行為は取り消すことができる（9）。

× **015**

成年被後見人がした法律行為は、これを取り消すことができる（9本文）。ただし、日用品の購入その他日常生活に関する行為については、取り消すことはできない（9但書）。

## 016 □□□ 　　　　　　　　　　　　　　　　平29-4-イ改題

成年被後見人Ａが成年後見人Ｂの同意を得ないで不動産を購入した場合において、その売主がＡに対し１か月以内にＢの追認を得るべき旨の催告をしたにもかかわらず、Ａがその期間内にその追認を得た旨の通知を発しないときは、その売買契約を取り消したものとみなされる。

## 017 □□□ 　　　　　　　　　　　　　　平29-4-ア（平23-4-オ）

成年被後見人Ａが成年後見人Ｂの同意を得ないで不動産を購入した場合において、その売主がＢに対し１か月以内にその売買契約を追認するかどうかを確答すべき旨の催告をしたにもかかわらず、Ｂがその期間内に確答を発しないときは、その売買契約を追認したものとみなされる。

## 018 □□□ 　　　　　　　　　　　　　　　　　　平19-6-オ

成年被後見人が契約を締結するに当たって、成年後見に関する登記記録がない旨を証する登記事項証明書を偽造して相手方に交付していた場合には、相手方がその偽造を知りつつ契約を締結したとしても、その成年後見人は、当該契約を取り消すことができない。

## 019 □□□ 　　　　　　　　　　　　　　令3-4-オ（平25-4-ア）

家庭裁判所は、被保佐人の請求により、被保佐人が日用品の購入をする場合にはその保佐人の同意を得なければならない旨の審判をすることができる。

**×** **016**

成年被後見人には意思表示の受領能力がないため（98の2）、相手方の成年被後見人に対する催告は効果を生じない。

**○** **017**

制限行為能力者の相手方が、制限行為能力者が行為能力者とならない間に、その法定代理人、保佐人又は補助人に対し、1か月以上の期間を定めて、取り消すことができる行為を追認するかどうかを催告した場合において、これらの者がその期間内に確答を発しないときは、その行為を追認したものとみなされる（20Ⅱ・Ⅰ）。

**×** **018**

制限行為能力者が行為能力者であることを信じさせるため詐術を用いたときは、その行為を取り消すことができない（21）。しかし、詐術が用いられても、相手方が能力者であると誤信しなければ、制限行為能力者の取消権は否定されない。

**×** **019**

日用品の購入その他日常生活に関する行為については、同意を要する旨の審判をすることはできない（13Ⅱ但書・9但書）。

## 020 ☐☐☐

保佐人の同意を得ることを要する行為につき、保佐人が被保佐人の利益を害するおそれがないのに同意をしない場合には、被保佐人は、家庭裁判所に対し、保佐人の同意に代わる許可を求めることができる。

## 021 ☐☐☐

被保佐人が贈与をする場合には、保佐人の同意を得なければならない。

## 022 ☐☐☐

A及びBが共同相続人である場合において、Aが被保佐人であっても、Bと遺産分割の協議をするについては、保佐人の同意を要しない。

## 023 ☐☐☐

被保佐人が売主としてした不動産の売買契約を取り消したが、その取消し前に目的不動産が買主から善意の第三者に転売されていれば、被保佐人は、取消しを当該第三者に対抗することができない。

## 024 ☐☐☐

被保佐人Aは、その所有する甲土地を、保佐人Bの同意を得ずにCに売却した。この場合において、Aは、Bの同意がなくても、Cとの間の甲土地の売買契約を取り消すことができる。

## 025 ☐☐☐

保佐人は、家庭裁判所の審判により、特定の法律行為についての代理権を付与されることがある。

## ○ 020

保佐人の同意を得ることを要する行為につき、保佐人が被保佐人の利益を害するおそれがないのに同意をしない場合には、家庭裁判所は、被保佐人の請求によって保佐人の同意に代わる許可を与えることができる（13Ⅲ）。

## ○ 021

被保佐人が贈与をする場合には、その保佐人の同意を得なければならない（13Ⅰ⑤）。

## × 022

被保佐人が遺産分割協議をする場合には、その保佐人の同意を得ることを要する（13Ⅰ⑥）。

## × 023

被保佐人がその保佐人の同意を得ずに不動産の売買契約を締結した場合には、その契約を取り消すことができる（13Ⅰ③・Ⅳ）。行為能力の制限による取消しには、第三者保護規定がない。

## ○ 024

被保佐人は、その法定代理人又は保佐人の同意を得ることなく、単独で取り消すことができる（120Ⅰ参照）。

## ○ 025

家庭裁判所は、被保佐人のために、特定の法律行為について保佐人に代理権を付与する旨の審判をすることができる（876の4Ⅰ）。

保佐人Ｂが被保佐人Ａの法定代理人として不動産を購入するには、
Ｂにその代理権を付与する旨の家庭裁判所の審判がなければなら
ない。

被保佐人Ａが保佐人Ｂの同意を得ないで不動産を購入した場合に
おいて、その売主がＡに対し１か月以内にＢの追認を得るべき旨の
催告をしたにもかかわらず、Ａがその期間内にその追認を得た旨
の通知を発しないときは、その売買契約を取り消したものとみなさ
れる。

被保佐人Ａが行為能力者であることを信じさせるため詐術を用い
て不動産を購入したときは、その売買契約を取り消すことができ
ない。

被保佐人である共同相続人の一人が保佐人の同意を得ることなく
協議で遺産の分割をしたときでも、保佐人は、その遺産の分割が
保佐人の同意なくされたことを理由としてこれを取り消すことがで
きない。

補助人は、家庭裁判所の審判により、特定の法律行為についての
代理権を付与されることがある。

○ **026**

Aが被保佐人である場合、保佐人BがAの法定代理人として不動産を購入するには、Bにその代理権を付与する旨の家庭裁判所の審判がなければならない（876の4Ⅰ参照）。

○ **027**

制限行為能力者の相手方は、被保佐人又は17条1項の審判を受けた被補助人に対しては、1か月以上の期間を定めて、その期間内にその保佐人又は補助人の追認を得るべき旨の催告をすることができる（20Ⅳ前段）。この場合において、その被保佐人又は被補助人がその期間内にその追認を得た旨の通知を発しないときは、その行為を取り消したものとみなされる（20Ⅳ後段）。

○ **028**

制限行為能力者が行為能力者であることを信じさせるため詐術を用いたときは、その行為を取り消すことができない（21）。

× **029**

被保佐人が相続の承認若しくは放棄又は遺産の分割をするには、その保佐人の同意を得なければならず（13Ⅰ⑥）、同意又はこれに代わる許可を得ないでしたものは、取り消すことができる（13Ⅳ）。

○ **030**

家庭裁判所は、被補助人のために、特定の法律行為について補助人に代理権を付与する旨の審判をすることができる（876の9Ⅰ）。

精神上の障害により事理を弁識する能力が不十分である者の四親等の親族は、その者について補助開始の審判の請求をすることができない。

被補助人が贈与をする場合には、贈与をすることについて補助人の同意を得なければならない旨の審判がなければ、補助人の同意を得ることを要しない。

配偶者の請求により補助開始の審判をする場合には、本人の同意がなければならない。

不在者Aが財産管理人Dを置いた場合において、DがA所有の財産の管理を著しく怠っているときは、家庭裁判所は、Aの生存が明らかであっても、利害関係人の請求により、管理人の任務に適しない事由があるとしてDを改任することができる。

不在者の財産の管理人（以下「管理人」という。）に関し、不在者が管理人を置いていない場合においても、その不在者が生存していることが明らかであるときは、利害関係人は、管理人の選任を家庭裁判所に請求することができない。

## × 031

四親等内の親族は、補助開始の審判の請求をすることができる（15Ⅰ参照）。

## ○ 032

被補助人が贈与をする場合でも、贈与をすることについて補助人の同意を得なければならない旨の審判がなければ、補助人の同意を得ることを要しない（17Ⅳ参照）。

## ○ 033

本人以外の者の請求により補助開始の審判をするには、本人の同意がなければならない（15Ⅱ）。

## × 034

不在者の生存が明らかであるときは、管理人のコントロールは不在者本人に任せるべきであるから、家庭裁判所が管理人を改任することはできない（26参照）。

## × 035

「不在者」とは、従来の住所又は居所を去った者をいい（25Ⅰ）、生死が不明であることは、要件となっていない。

## 036 □□□ 　　　　　　　　　　　　平7-2-イ

Aの父Bが旅行中、船舶事故に巻き込まれたまま生死不明になった場合、Bが事故に遭遇してから1年が経過しなくても、Aは、家庭裁判所に対しBのために不在者の財産管理人の選任を請求することができる。

## 037 □□□ 　　　　　　　　　　　　平28-4-4

不在者の財産の管理人（以下「管理人」という。）に関し、家庭裁判所が選任した管理人は、家庭裁判所の許可を得ないで、不在者を被告とする建物収去土地明渡請求を認容した判決に対し控訴することができる。

## 038 □□□ 　　　　　　　　　　平28-4-5（令2-4-オ）

不在者の財産の管理人（以下「管理人」という。）に関し、家庭裁判所が選任した管理人がその権限の範囲内において不在者のために行為をしたときは、家庭裁判所は、不在者の財産の中から、管理人に報酬を与えなければならない。

## 039 □□□ 　　　　　　　　　　　　令2-4-ア

不在者の生死が7年間明らかでないときは、利害関係人だけでなく検察官も、家庭裁判所に対し、失踪の宣告の請求をすることができる。

## 040 □□□ 　　　　　　　　　　　　平7-2-ア

Aの父Bが旅行中、船舶事故に巻き込まれたまま生死不明になった場合、Bが事故に遭遇してから1年が経過すれば、Aは、家庭裁判所に対し、Bについての失踪宣告を請求することができる。

○ **036**

不在者が自ら財産管理人を置かなかったときは、利害関係人は家庭裁判所に対し、財産管理に必要な処分を命ずることを請求することができる（25Ⅰ）。この点、不在者には生死不明で失踪宣告を受ける以前の者も含まれる。また、財産管理に必要な処分には財産管理人の選任が含まれる。

○ **037**

家庭裁判所が選任した不在者財産管理人は、28条所定の家庭裁判所の許可を得ることなしに、不在者を被告とする建物収去土地明渡請求を認容した第一審判決に対し控訴することができる（最判昭47.9.1）。

× **038**

家庭裁判所は、管理人と不在者との関係その他の事情により、不在者の財産の中から、相当な報酬を管理人に与えることができる（29Ⅱ）。

× **039**

不在者の生死が7年間明らかでないときは、家庭裁判所は、利害関係人の請求により、失踪の宣告をすることができる（30Ⅰ）。したがって、検察官は、失踪宣告の請求をすることができない。

○ **040**

船舶が沈没した場合、その船舶中にいた者が沈没後1年間生死不明のときは、利害関係人は家庭裁判所に対しその者についての失踪宣告を請求することができる（30Ⅱ）。

## 041 □□□ 令2-4-イ

生死が7年間明らかでないために失踪の宣告を受けた者は、失踪の宣告を受けた時に死亡したものとみなされる。

## 042 □□□ 平7-2-ウ

Aの父Bが旅行中、船舶事故に巻き込まれたまま生死不明になった場合、Bが事故に遭遇して生死不明になったことを理由として、Aの請求により失踪宣告がされた場合には、Bは、事故から1年を経過した時に死亡したものとみなされる。

## 043 □□□ 平7-2-エ

Aの父Bが旅行中、船舶事故に巻き込まれたまま生死不明になった場合、Bが事故に遭遇する前に既にBのために財産管理人が選任されている場合には、Aは、Bにつき失踪宣告の請求をすることができない。

## 044 □□□ 平22-4-ウ

不在者Aが家庭裁判所から失踪宣告を受けた後に、AがEに100万円を貸し渡した場合は、当該金銭消費貸借契約は、当該失踪宣告が取り消されなくても有効である。

## 045 □□□ 令2-4-ウ

Aの失踪の宣告によって財産を得たBがその財産を第三者Cに譲渡した後、Aの生存が判明したために失踪の宣告が取り消された場合において、Cが譲渡を受けた際にAの生存を知らなかったときは、BがAの生存を知っていたとしても、失踪の宣告の取消しはその財産の譲渡の効力に影響を及ぼさない。

✕ **041**

生死が7年間明らかでないために30条1項の規定により失踪の宣告を受けた者は、7年の期間が満了した時に死亡したものとみなされる（31前段）。

✕ **042**

特別失踪（30Ⅱ）の場合に死亡したものとみなされる時期は、危難の去った時（31）である。

✕ **043**

財産管理人選任の有無にかかわらず、AはBについて失踪宣告の請求をすることができる。

◯ **044**

失踪宣告を受けたとしても、失踪者本人の権利能力が消滅するわけではないため、失踪者が実際は別の場所で生存していた場合は、失踪者が行った契約などはすべて有効である。

✕ **045**

失踪の宣告の取消しは、失踪の宣告後その取消し前に善意でした行為の効力に影響を及ぼさない（32Ⅰ後段）。この点、失踪宣告後にされた契約がその宣告の取消しにかかわらず効力を有するには、契約当時、当事者双方が共に善意であったことを要する（大判昭13.2.7）。

家庭裁判所が選任した不在者の財産の管理人は、保存行為であれ
ば、裁判上の行為であるか裁判外の行為であるかを問わず、家庭
裁判所の許可なくすることができる。

家庭裁判所が不在者Ａの財産管理人としてＤを選任した場合にお
いて、ＤがＡ所有の財産の管理費用に充てるためにＡの財産の一
部である不動産を売却するときは、Ｄは、これについて裁判所の許
可を得る必要はない。

## ○ 046

不在者の財産の管理人は、103条に定める保存行為や目的物の性質を変えない範囲での管理・利用行為であれば、家庭裁判所の許可なくすることができる（28前段参照）。

## × 047

管理財産である不在者所有の不動産を売却・処分することは、管理財産の現状維持を目的とする行為を逸脱するものであるため、家庭裁判所の許可を要する（28・103参照、最判昭28.12.28）。

# ❷ 意思表示

## 意思の不存在と瑕疵ある意思表示

### 048 ☐☐☐ 　　　　　　　　　　　　　　　　　平30-4-オ

Aは、その所有する甲土地のBへの売却をBとの間で仮装した。その後、Bが当該仮装の事実について善意無過失のCに甲土地を譲渡した場合において、Aは、Cに対し、虚偽表示を理由に、甲土地の返還を請求することができない。

### 049 ☐☐☐ 　　　　　　　　　　　　　　平15-5-4（平14-17-ア）

AとBとが通謀して、A所有の土地をBに売却したかのように仮装したところ、Aは、売買代金債権を善意のCに譲渡した。Bは、土地の売買契約が無効であるとして、Cからの代金支払請求を拒むことはできない。

### 050 ☐☐☐ 　　　　　　　　　　　　　　平27-7-オ（平19-7-ア）

AがBと通謀してAの所有する甲建物をBに売り渡した旨仮装し、AからBへの所有権の移転の登記をした後、Bは、Aに無断で、AB間の売買契約が仮装のものであることを知らないCに甲建物を売り渡した。この場合、Cは、Bから所有権の移転の登記を受けていなくても、Aに対し、甲建物の所有権を主張することができる。

### 051 ☐☐☐ 　　　　　　　平27-5-イ（平19-7-ウ、平15-5-2）改題

AがBと通謀して、A所有の甲建物をBに売り渡す仮装の売買契約を締結した後、Cが当該仮装売買の事実を知った上で、Bから甲建物を譲り受け、更にDがAB間の仮装売買の事実を知らずに、Cから甲建物を譲り受けた場合、Aは、Dに対し、AB間の売買契約が無効であることを主張することができる。

○ **048**

相手方と通じてした虚偽の意思表示は、無効であるが（94 I）、その無効を善意の第三者に対抗することはできない（94 II）。

○ **049**

ＡＢ間の売買代金債権は土地の仮装売却によって発生した仮装債権であり、仮装債権の譲受人であるＣは94条2項の「第三者」に含まれる（大判昭13.12.17）。

○ **050**

94条2項の「第三者」が善意者として保護されるために、対抗要件を備えることを要しない（最判昭44.5.27）。

× **051**

94条2項の直接の第三者が悪意であっても、転得者が善意であるときは保護される（最判昭45.7.24）。

相手方と通じて債権の譲渡を仮装した場合において、仮装譲渡人が債務者に譲渡の通知をしたときは、仮装譲渡人は、当該債権につき弁済その他の債務の消滅に関する行為がされていない場合でも、当該債権譲渡が虚偽であることを知らない債務者に対して当該債権譲渡が無効であることを主張することができない。

AがBと通謀して、A所有の甲建物をBに売り渡す仮装の売買契約を締結し、Bへの所有権の移転の登記をした後、Bの債権者であるCが、仮装売買の事実を知らずに甲建物を差し押さえた場合、Aは、Cに対し、AB間の売買契約が無効であることを主張することができない。

甲不動産はAとBの共有であるが、登記記録上はAの単独所有とされていたところ、Aは、Cとの間で甲不動産の売買契約を締結し、Cへの所有権移転登記を経由した。AとBの合意に基づいてA単独所有の登記が経由された場合において、甲不動産がAとBの共有であることをCが知らなかったときは、Bは、Cに対し、自己の持分を主張することができない。

× **052**

債権の仮装譲渡人が債権はなお自己にあると主張・立証して弁済を請求する場合、いまだ弁済行為などせずに単に債務者である地位を保有するにすぎない者は、94条2項の第三者には該当しない（大判昭8.6.16）。

○ **053**

一般債権者は民法94条2項の「第三者」に当たらないが、差押債権者は、「第三者」に当たる（大判大9.7.2、最判昭48.6.28）。

○ **054**

真実の権利者と異なる者に不動産の登記名義が存し、それにつき真実の権利者に一定の帰責性が認められる場合には、その登記を信頼した第三者は、94条2項の類推適用により保護される（最判昭41.3.18）。

Aから土地を賃借したBがその土地上に甲建物を建築し、その所有権の保存の登記がされた後に、甲建物についてBC間の仮装の売買契約に基づきBからCへの所有権の移転の登記がされた場合において、BC間の売買契約が仮装のものであることを知らなかったAが賃借権の無断譲渡を理由としてAB間の土地賃貸借契約を解除する旨の意思表示をしたときは、Bは、Aに対し、BC間の売買契約は無効であり、賃借権の無断譲渡には当たらない旨を主張することができる。

AのBに対する意思表示を錯誤により取り消すことができる場合であっても、その意思表示によって生じた契約上の地位をAから承継したCは、錯誤を理由としてその意思表示を取り消すことができない。

甲乙間の売買契約において、甲の錯誤が法律行為の目的及び取引上の社会通念に照らして重要なものである場合に、甲の錯誤が重大な過失に基づくものである場合、甲は売買契約の取消しを主張できないが、乙は取消しを主張できる。

AのBに対する意思表示が、法律行為の基礎とした事情についてのその認識が真実に反する錯誤によるものであり、それが法律行為の目的及び取引上の社会通念に照らして重要なものである場合には、Aは、その事情が法律行為の基礎とされていることが表示されていたときでなければ、錯誤を理由としてその意思表示を取り消すことができない。

○ **055**

土地の賃借人が土地上に建物を建て、この地上建物を他に仮装譲渡した場合の土地賃貸人は、94条2項の「第三者」に当たらない（最判昭38.11.28）。したがって、BはAに対し、BC間の売買契約は無効であり、賃借権の無断譲渡には当たらない旨を主張することができる。

× **056**

錯誤によって取り消すことができる行為は、瑕疵ある意思表示をした者又はその代理人若しくは承継人に限り、取り消すことができる（120Ⅱ）。したがって、Aの承継人であるCは、錯誤を理由としてその意思表示を取り消すことができる。

× **057**

錯誤、詐欺又は強迫によって取り消すことができる行為は、瑕疵ある意思表示をした者又はその代理人若しくは承継人に限り、取り消すことができる（120Ⅱ）。したがって、相手方である乙は取消しを主張することはできない。

○ **058**

意思表示は、表意者が法律行為の基礎とした事情についてのその認識が真実に反する錯誤（動機の錯誤）に基づくものであって、その錯誤が法律行為の目的及び取引上の社会通念に照らして重要なものであるときは、取り消すことができる（95Ⅰ②）。そして、この意思表示の取消しは、その事情が法律行為の基礎とされていることが表示されていたときに限り、することができる（95Ⅱ）。

Aは、その所有する甲土地を錯誤によりBに売却した。その錯誤が
Aの重大な過失によるものであった場合であっても、BがAの錯誤
を認識していたときは、Aは、錯誤を理由として、Bとの間の甲土
地の売買契約を取り消すことができる。

Aは、Bから彫刻甲を著名な彫刻家Cの真作であると信じて購入し
たが、実際には、甲は、Cの真作ではなかった場合、Aは、甲がC
の真作であるという錯誤に陥っているが、Aは、甲を買う意思でそ
の旨の意思表示をしているので、意思と表示に不一致はなく、動
機の錯誤が問題となる。

動機の表示は黙示的にされたのでは不十分であり、明示的にされ
ている必要がある。

AのBに対する意思表示がされ、その意思表示によって生じた法
律関係について、Bの包括承継人ではないCが新たに法律上の利
害関係を有するに至った後に、その意思表示がAの錯誤を理由に
取り消された場合において、錯誤による意思表示であることをCが
過失により知らなかったときは、Aは、Cに対し、その取消しを対
抗することができる。

## ◯ 059

錯誤が表意者の重大な過失によるものであった場合であっても、相手方が表意者に錯誤があることを知り、又は重大な過失によって知らなかったときは、自ら錯誤による意思表示の取消しをすることができる（95Ⅲ①）。

## ◯ 060

Aは、彫刻甲を買う意思でその旨の意思表示をしており、これについて、Aの表示意思に対応する内心の意思（甲を買おうという意思）はあるため、その点につき錯誤はないが、法律行為の基礎とした事情についてのAの認識すなわち動機（Cの真作を買うという点）に錯誤があるため、動機の錯誤が問題となる。

## ✕ 061

動機の錯誤に基づく意思表示の取消しは、表意者が法律行為の基礎とした事情が法律行為の基礎とされていることが表示されていた場合、つまり動機の表示がされていた場合に限り、することができる（95Ⅱ・Ⅰ②）。そして、この場合の動機の表示は、明示でも黙示でもよい（最判平元.9.14参照）。

## ◯ 062

95条1項の錯誤による意思表示の取消しは、善意でかつ過失がない第三者に対抗することができない（95Ⅳ）。

AのBに対する無償行為が錯誤を理由に取り消された場合には、その行為に基づく債務の履行として給付を受けたBは、給付を受けた時にその行為が取り消すことができるものであることを知らなかったときは、その行為によって現に利益を受けている限度において、返還の義務を負う。

AがBを欺罔して錯誤に陥らせ、その錯誤によってBが意思表示をした場合であっても、AにBを錯誤に陥らせる故意と、その錯誤によって意思表示をさせる故意の、両方の故意がなければ、Bは、Aの詐欺による意思表示を取り消すことができない。

AがBに欺罔されてA所有の土地をBに売却した後、善意無過失のCがBからこの土地を買い受けた場合、Aは、詐欺を理由としてAB間の売買契約を取り消すことはできない。

Aは、その所有する甲土地のBへの売却がBの詐欺によることに気付いた後、甲土地の売買代金債権をBの詐欺につき善意無過失のCに譲渡した。この場合において、Aは、Bの詐欺を理由に、Bとの間の甲土地の売買契約を取り消すことができる。

## ○ 063

給付を受けた後に民法121条の規定により初めから無効であった ものとみなされた無償行為に基づく債務の履行として給付を受け た者は、給付を受けた当時その行為が取り消すことができるもの であることを知らなかったときは、その行為によって現に利益を 受けている限度において、返還の義務を負うにすぎない（121の 2Ⅱ・121の2Ⅰ参照）。

## ○ 064

詐欺による意思表示であるというためには、詐欺者に、①他人を 騙して錯誤に陥らせる故意と、②その錯誤に基づいて一定の意思 表示をさせようという故意の、二段の故意がなければならない（大 判大6.9.6）。

## × 065

詐欺による取消しにおいては、善意無過失の第三者に対して取消 しの効果を主張することはできないが、当事者間では取消しの効 果を主張することができる。

## × 066

追認をすることができる時以後に、取り消すことができる行為に よって取得した権利の全部又は一部を譲渡したときは、追認した ものとみなされる（125⑤）。

## 067 ☐☐☐                                    平18-6-ア

A所有の土地にBの1番抵当権、Cの2番抵当権が設定されており、
BがAに欺罔されてその1番抵当権を放棄した後、その放棄を詐欺
を理由として取り消した場合、Bは、善意無過失のCに対してその
取消しを対抗することができる。

## 068 ☐☐☐                          平18-6-オ（平13-1-ウ）改題

AがBの詐欺により、当該詐欺の事実を知らないCから甲土地を購
入した場合、Cが当該事実を知ることができたときであっても、A
は、詐欺を理由としてAC間の売買契約を取り消すことができない。

## 069 ☐☐☐                          平30-4-ウ（平27-7-ア）改題

AがBの強迫により自己所有の甲土地をBに売却し所有権の移転
の登記をした後、Bが強迫の事実について善意無過失のCに対し
て甲土地を売却し所有権の移転の登記をした場合は、Aが強迫を
理由にAB間の売買契約を取り消したときであっても、Aは、Cに
対し、甲土地の所有権を対抗することができない。

## 070 ☐☐☐                                    平29-8-イ

Aがその所有する甲土地についてBとの間で締結した売買契約を
Bの強迫を理由に取り消した後、Bが甲土地をCに売り渡した場合
において、AからBへの所有権の移転の登記が抹消されていない
ときは、Aは、Cに対し、甲土地の所有権の復帰を主張することは
できない。

## ○ 067

詐欺による意思表示の取消しは、善意無過失の第三者に対抗することができない（96Ⅲ）。この点、詐欺により1番抵当権者が抵当権を放棄した場合、2番抵当権者は、反射的に利益を取得したにすぎず、96条3項の「第三者」に当たらない（大判明33.5.7）。したがって、BはCに対して取消しを対抗することができる。

## ✕ 068

第三者が詐欺を行った場合においては、相手方がその事実を知り、「又は」知ることができたときに限り、その意思表示を取り消すことができる（96Ⅱ）。

## ✕ 069

強迫による意思表示の取消しは、善意無過失の第三者にも対抗することができる（大判明39.12.13）。

## ○ 070

強迫を理由とする取消しの効果は、取消前の善意無過失の第三者にも主張することができる（96Ⅲ反対解釈、大判明39.12.13）。しかし、取消後の第三者との関係では、取消しにより復帰的物権変動が生ずると解し、対抗問題として処理される。

## 071 ☐☐☐                   平12-3-4

Aは、Bの代理人として、Cとの間で金銭消費貸借契約及びB所有の甲土地に抵当権を設定する旨の契約(以下両契約を合わせて「本契約」という。)を締結した。本契約がAのCに対する詐欺に基づくものである場合、Bがこれを過失なく知らなくても、Cは、本契約を取り消すことができる。

---

## 意思表示の到達と受領

## 072 ☐☐☐          平3-8-エ(平24-4-オ)

甲がその所有に係る土地を乙に騙されて売り渡し、その後契約を取り消す旨の手紙を出したが、その到達前に甲が死亡した場合、取消しの効果は生じない。

## 073 ☐☐☐                  平24-4-イ

意思表示の相手方が当該意思表示を受けた時に未成年者であった場合でも、その法定代理人が当該意思表示を知った後は、表意者は、当該意思表示をもってその相手方に対抗することができる。

## 074 ☐☐☐                  平24-4-ウ

法人に対する意思表示を当該法人の使用人が受けた場合において、当該意思表示が効力を生ずるためには、当該使用人が当該法人から当該意思表示の受領権限を与えられていなければならない。

**○ 071**

代理人が相手方に詐欺を行った場合は、本人が善意であるか悪意であるかを問わず、相手方が取消権を取得する（96 I）。

**× 072**

意思表示の発信後、表意者が死亡しても、意思表示は何らの影響を受けないのを原則とする（97Ⅲ、例外526）。したがって、取消しの意思表示が到達した以上（97 I・到達主義の原則）、取消しの効果が生ずる。

**○ 073**

意思表示の相手方がその意思表示を受けた時に未成年者若しくは成年被後見人であったときは、その意思表示をもってその相手方に対抗することができない（98の2本文）。ただし、①相手方の法定代理人、②行為能力者となった相手方が、その意思表示を知った後は、対抗することができる（98の2但書）。

**× 074**

必ずしも当該使用人が当該法人から当該意思表示の受領権限を与えられている必要はない（最判昭36.4.20参照）。

未成年者甲の法定代理人乙から甲において土地を買い受ける旨の
申込みを受けた丙が、土地を売り渡す旨の意思表示を直接甲にし
たときは、契約の成立を主張することができない。

意思表示が効力を生ずるためにはそれが相手方に到達し、かつ相手方に受領能力があることが必要である。未成年者には受領能力がなく、このような受領能力のない者に対する意思表示については、表意者側からその効力発生を主張することができない（98の2柱書本文）。

# ❸ 無効と取消し

## 無効

### 076 □□□ 　　　　　　　　　　　　　　　　　　平30-5-ウ

AとBとの間で、Aの代理人としてAの所有する甲不動産をCに売り渡す契約を締結する権限をBに与える委任契約を締結したという事例を前提として、Bが、Cからも代理権を授与され、AとC双方の代理人としてAC間の売買契約を締結した場合、AC間の売買契約は、無効となり、追認することもできない。

## 取消し

### 077 □□□ 　　　　　　　　　　　　平27-4-ア（平2-14-ア、平23-4-イ）

未成年者が法定代理人の同意を得ないでした法律行為を自ら取り消した場合には、その未成年者は、その取消しの意思表示をすることについて法定代理人の同意を得ていないことを理由に、その取消しの意思表示を取り消すことはできない。

### 078 □□□ 　　　　　　　　　　　　　　　　　　平25-5-ウ

主たる債務者が行為能力の制限によってその債務を生じさせた行為を取り消すことができる場合であっても、当該債務の保証人が当該行為を取り消すことはできない。

### 079 □□□ 　　　　　　　　　　　　　　　　　　平19-6-ア

未成年者が買主としてした高価な絵画の売買契約を取り消した場合において、その絵画が取消し前に天災により滅失していたときは、当該未成年者は、売主から代金の返還を受けることができるが、絵画の代金相当額を売主に返還する必要はない。

**× 076**

自己契約及び双方代理は、原則として無権代理行為とみなされるため、本人はこれを追認することができる（108 I 本文・113 I）。

**○ 077**

制限行為能力者は単独で取消しができ、その取消しの意思表示を行為能力の制限を理由に取り消すことは認められない（120 I）。

**○ 078**

保証人は取消権者ではないため、取り消すことはできない（120 I 参照）。

**○ 079**

本肢の未成年者は、取消しにより売主から代金の返還を受けることができるが、絵画の代金相当額を売主に返還する必要はない。制限行為能力者は、現存利益の限度で返還の義務を負う（121の2 Ⅲ）が、絵画が取消し前に天災により滅失していたときは、現存利益はないからである（121の2 I 参照）。

## 追認

取り消すことができる行為について追認をすることができる取消権者が当該行為から生じた債務の債務者として履行をした場合には、法定追認の効力が生ずるが、当該行為について当該取消権者が債権者として履行を受けた場合には、法定追認の効力は生じない。

AがBの詐欺により、Bとの間で、A所有の甲土地を売り渡す契約を締結したという事例において、Aは、詐欺の事実に気づいた後に、売買代金の支払請求をした場合であっても、その際に異議をとどめていれば、なお売買契約の意思表示を取り消すことができる。

未成年者Aが、A所有のパソコン甲をAの唯一の親権者Bの同意なく成年者Cに売る契約（以下「本件売買契約」という。）を締結した事例において、本件売買契約の締結後に契約締結の事実を知ったBが、Aが成年に達する前に、Cに対して甲を引き渡した場合には、当該引渡しがAに無断であったときでも、Aは、本件売買契約を取り消すことができない。

**✕ 080**

追認をすることができる時以後に、取り消すことができる行為について、全部又は一部の履行があったときは、追認をしたものとみなされる（125①）。この点、履行には、取消権者が債務者として自ら履行する場合だけでなく、債権者として受領する場合も含まれる（大判昭8.4.28）。

**○ 081**

取り消すことができる行為につき125条所定の行為があったときは追認が擬制される（125本文）。ただし、取消権者が特に「異議をとどめた」ときはこの限りでない（125但書）。

**○ 082**

BはAの法定代理人であり、追認権者となる（120・122）。そして、Bによるパソコン甲の引渡しは「全部又は一部の履行」として法定追認に当たるところ（125①）、追認がされた行為は122条により取り消すことができない。

## 083 ☐☐☐ 平23-4-ウ

未成年者Aが、A所有のパソコン甲をAの唯一の親権者Bの同意なく成年者Cに売る契約（以下「本件売買契約」という。）を締結した事例において、Aが、成年に達する前に本件売買契約の代金債権を第三者に譲渡した場合には、本件売買契約及び代金債権の譲渡につきBの同意がなく、かつ、追認がなかったときでも、Aは、本件売買契約を取り消すことができない。

## 084 ☐☐☐ 平6-7-オ

未成年者Aは、単独の法定代理人である母親Bの所有する宝石を、Bに無断で自己の物としてCに売却し引き渡した上、代金50万円のうち30万円を受け取り、そのうち10万円を遊興費として消費してしまった。他方、Cは、Aに対し、残代金を支払わない。Aが、Bの同意を得て、Cに対し代金残額20万円の履行請求をした場合には、Aは、未成年であることを理由にA・C間の売買を取り消すことができない。

## 085 ☐☐☐ 平25-5-エ

制限行為能力者が行為能力の制限によって取り消すことができる行為によって生じた債務を行為能力者となった後に承認した場合であっても、当該行為が取り消すことができるものであることを当該制限行為能力者が知らないときは、当該行為を追認したものとはならない。

## 086 ☐☐☐ 平10-4-3（平12-1-ア、平6-7-エ）

AがBの詐欺により、Bとの間で、A所有の甲土地を売り渡す契約を締結した。売買契約の締結後、20年が経過した後にAが初めて詐欺の事実に気づいた場合、Aは、売買契約を取り消すことができない。

**×** **083**

法定追認事由である行為ないし事実は、124条にいう取消しの原因となっていた状況が消滅した後にしなければ、その効力を生じない。また、未成年者が、法定代理人の同意を得て法定追認該当行為をしたときは、法定追認の効力を生ずるものと解されている。したがって、Bの同意がなく、かつ、追認がなかったときは、Aは、本件売買契約を取り消すことができる。

**○** **084**

取消権者が債権者としてする「履行の請求」は、法定追認事由に該当する（125②）。そして、未成年者も法定代理人の同意を得れば有効に追認することができるため、Aは、未成年者であることを理由にA・C間の売買を取り消すことができない。

**○** **085**

追認は、原則、取消しの原因となっていた状況が消滅し、かつ、取消権を有することを知った後にしなければ効力を生じない（124Ⅰ）。

**○** **086**

取消権は「追認をすることができる時から5年」（126前段）又は「行為の時から20年」（126後段）の経過により消滅する。

# ❹ 代理

## 本人と代理人の関係（代理権）

087 ☐☐☐ 　　　　　　　　　　　　　平16-5-エ改題

Aは、Bを利用して、Cと売買契約を締結し、甲動産を取得しようとしている。BがAの代理人である場合、Aは、Bに対し、売買代金額に関する決定権限を付与することができる。

088 ☐☐☐ 　　　　　　　　　　　　　　　平30-5-ア

AとBとの間で、Aの代理人としてAの所有する甲不動産をCに売り渡す契約を締結する権限をBに与える委任契約を締結したという事例を前提として、Bに代理権を授与した後、Aが破産手続開始の決定を受けた場合でも、Bの代理権は消滅しない。

089 ☐☐☐ 　　　　　　　　　　　平22-5-エ（平26-5-イ）

Aの代理人であるBは、Cに対し物品甲を売却した（なお、この売却行為は、商行為には当たらないものとする。）。この事例に関して、Bは、Aのためにする意思をもってCに対し物品甲を売却したが、その際、売買契約書の売主署名欄にAの氏名のみを記載し、自己の氏名を記載しなかった。この場合において、契約書にAの氏名だけを記載することをAがBに許諾しており、Cも契約書に署名したBではなくAと契約する意思を有していたときは、Bがした意思表示は、Aに対して効力を生ずる。

○ **087**

Bが代理人である場合、意思決定は代理人が行うため、売買代金額の決定について、AはこれをBの意思に委ねることができる。

× **088**

当事者が破産手続開始の決定を受けたことは、委任の終了事由である（653②）。そして、委任による代理権は、委任の終了によって消滅する（111Ⅱ）。

○ **089**

代理人が本人のためにする意思をもって直接本人名義で代理行為をした場合に、契約書に本人の氏名のみを記載することを本人が代理人に対して許諾し、相手方も本人と契約する意思を有していた場合には、契約の効力は本人と相手方間で生ずる（大判大9.4.27）。

## 代理人と相手方の関係

**090** ☐☐☐       平18-4-3（平22-5-イ、平26-5-ア）改題

AがBに対して、C所有の甲建物を購入するための代理権を付与したが、BがAのためにすることを示さずにCとの間で甲建物の売買契約を締結した場合、BがAのためにすることをCが知っていたときに限り、AC間に売買契約が成立する。

**091** ☐☐☐    平22-5-ア（平6-4-ア、平18-4-1、平26-5-ウ、平30-5-エ）

Aの代理人であるBは、Cに対し物品甲を売却した（なお、この売却行為は、商行為には当たらないものとする。）。この事例に関して、Bが自己又は第三者の利益を図るために物品甲を売却した場合であっても、それが客観的にBの代理権の範囲内の行為であり、CがBの意図を知らず、かつ、知らないことに過失がなかったときは、Bがした意思表示は、Aに対して効力を生ずる。

**092** ☐☐☐       平30-5-オ（平5-4-1、平16-5-イ）改題

AがBに対して、Cが占有する甲動産を購入するための代理権を付与し、BがAの代理人としてCから甲動産を購入し、現実の引渡しを受けた場合において、Bが、Cが無権利者であることについて善意無過失であったときは、Aが、Cが無権利者であることについて悪意であったとしても、Aは、甲動産を即時取得することができる。

### × 090

顕名がない場合には、本人に効果帰属しない。ただし、相手方が本人のためにすることを知っていたか、又は知ることができた場合、本人に対してその効力を生ずる（100）。

### ○ 091

代理人が自己又は第三者の利益を図る目的で代理権の範囲内の行為をした場合において、相手方がその目的を知り、又は知ることができたときは、その行為は、代理権を有しない者がした行為とみなされる（107）。したがって、Bがした意思表示はAに対して効力を生ずる。

### × 092

代理人が本人から特定の法律行為をすることを委託された場合において、その行為をしたときは、本人は、自ら知っていた事情及び過失によって知らなかった事情について、代理人が知らなかったことを主張することができない（101Ⅲ）。本肢の場合、Cが無権利者であることについて、Bが善意無過失であったとしても、Aが善意無過失でなければ、Aは甲動産を即時取得することができない。

## 093 □□□ 平16-5-ア改題

Aは、Bを利用して、Cと売買契約を締結し、甲動産を取得しよう
としている。BがAの代理人である場合、Bが、Cに対し、売買の
目的物を誤ってCの所有する乙動産と表示してしまい、その表示内
容による売買契約が締結された場合において、誤った表示をした
ことにつきAに重過失があるときは、Aは、乙動産の代金支払を免
れることができない。

## 094 □□□ 平5-4-2（平12-3-1、平13-1-オ）

未成年者を代理人に選任した場合に、その者が代理人としてなし
た法律行為は本人がこれを取り消すことができる。

## 095 □□□ 平29-4-エ

被保佐人AがCの任意代理人として不動産を購入した場合におい
て、保佐人Bの同意を得ていないときは、Bの同意を得ていないこ
とを理由として、その売買契約を取り消すことができる。

## 代理の種類・類似する制度

## 096 □□□ 平14-4-1

Aは、Bの任意代理人であるが、Bから受任した事務をCを利用し
て履行しようとしている。AがCを復代理人として選任する場合に
は、Cは、意思能力を有することは必要であるが、行為能力者であ
ることは要しない。

× **093**

Bが代理人である場合、意思表示の瑕疵は代理人について問題となるのであり（101Ⅰ）、本人Aに重過失があっても、Aは代理人Bの意思表示につき錯誤取消し（95）を主張して、代金支払を免れることができる。

× **094**

制限行為能力者が代理人としてした行為は、行為能力の制限によっては取り消すことができない（102本文）。

× **095**

制限行為能力者が代理人としてした行為は、行為能力の制限によっては取り消すことができない（102本文）。

○ **096**

代理人が意思表示をする以上、代理人に意思能力が必要であるのは当然である。これに対して、代理人は行為能力者である必要はない（102）。

## 097 □□□ 平16-5-エ改題

Aは、Bを利用して、Cと売買契約を締結し、甲動産を取得しようとしている。BがAの使者である場合、Aは、Bに対し、売買代金額に関する決定権限を付与することができる。

## 098 ■□□ 平4-2-ウ（平19-5-イ）

代理人が復代理人を選任した場合には、代理人は代理行為を行うことができない。

## 099 □□□ 平4-2-イ（平14-4-5、平19-5-ア）

復代理人が代理行為をするに当たっては、代理人のためにすることを示さなければ、代理行為としての効力を生じない。

## 100 □□□ 平4-2-ア

委任による代理人はやむを得ない事由があるときは、本人の許諾を得なくても、復代理人を選任することができる。

## 101 □□□ 平16-5-オ

Aは、Bを利用して、Cと売買契約を締結し、甲動産を取得しようとしている。BがAの使者である場合、Aの許諾がない場合には、Bは、やむを得ない事由がない限り、その任務を他の者にゆだねることができない。

**✕ 097**

Bが使者である場合、使者は自ら意思決定を行わないため、売買代金額の決定について、AはこれをBの意思に委ねることができない。

**✕ 098**

代理人が復代理人を選任しても、それは代理権の移転的譲渡ではないから、代理権は存続しており、代理人は復代理人選任後も従来どおり代理人である（大判大10.12.6）。

**✕ 099**

復代理人は、代理人の代理人ではなく、直接本人の代理人となる（106Ⅰ）ものであるから、復代理人は本人の名で（代理人の名においてではない）法律行為をする。したがって、代理行為の成立要件としての顕名も本人のためにすることを示してされなければならない。

**◯ 100**

委任による代理人は、本人の信任に基づくものであり、いつでも辞任することができることから（651Ⅰ）、原則として復任権はない。しかし、例外的に「本人の許諾を得たとき」又は「やむを得ない事由があるとき」であれば復代理人を選任することができる（104）。

**✕ 101**

Bが使者である場合、使者の復任は原則として許されるので、BはAの許諾がなくともその任務を他の者に委ねることができる。

復代理人が本人の指名に従って選任された場合、代理人が死亡してその代理権が消滅した場合には、復代理人の代理権は消滅する。

法定代理人は、やむを得ない事由で復代理人を選任した場合には、本人に対して責任を負うことはない。

復代理人が委任事務の処理に当たって金銭等を受領した場合、復代理人は、本人に対して受領物を引き渡す義務を負うほか、代理人に対しても受領物を引き渡す義務を負うが、復代理人が代理人に受領物を引き渡したときは、本人に対する受領物引渡義務は、消滅する。

Aは、Bを利用して、Cと売買契約を締結し、甲動産を取得しようとしている。BがAの使者である場合、Cが甲動産の所有権を有しない場合において、Aは、Cが甲動産の所有者であるものと誤信し、かつ、誤信したことにつき無過失であったが、Bは、Cが甲動産の所有者でないことにつき悪意であったときは、Aは、甲動産を即時取得することができない。

## ◯ 102

代理人の死亡は、代理権消滅事由の一つである（111Ⅰ②）。そして、復代理関係は原代理人の代理権の存在を前提とするので、原代理人の代理権の消滅は復代理関係の消滅事由となる。このことは、復代理人Cが本人Aの指名に従って選任された場合でも異ならない。

## ✕ 103

法定代理人はいつでも自由に復任権を有する。その反面、復代理人の失策については全責任を負う（105前段）。ただし、法定代理人がやむを得ない事由で復代理人を選任した場合にも全責任を負わせるのは酷であるため、その場合には、選任及び監督についてのみ責任を負う（105後段）。

## ◯ 104

判例は、「復代理人が代理行為の結果相手方から金銭等を受領した場合には、復代理人は、代理人に対して引渡義務を負う（646）ほか、本人に対しても106条2項により引渡義務を負うことになるが、かかる場合において復代理人が代理人に受領物を引渡したときは、代理人に対する引渡義務は消滅し、それとともに、本人に対する引渡義務もまた消滅する」（最判昭51.4.9）とした。

## ✕ 105

Bが使者である場合、使者が悪意であっても本人が善意であれば善意無過失の要件を満たすから、Aは甲動産を即時取得することができる。

Aは、Bを利用して、Cと売買契約を締結し、甲動産を取得しよう
としている。BがAの使者である場合、Bが、Cに対し、売買の目
的物を誤ってCの所有する乙動産と表示してしまい、その表示内容
による売買契約が締結された場合において、誤った表示をしたこ
とにつきAに重過失があるときは、Aは、乙動産の代金支払を免れ
ることができない。

Aは、Bを利用して、Cと売買契約を締結し、甲動産を取得しよう
としている。BがAの代理人である場合、甲動産の購入に際し、B
には意思能力がある必要はないが、Aには行為能力がある必要が
ある。

Aは、Bを利用して、Cと売買契約を締結し、甲動産を取得しよう
としている。BがAの使者である場合、甲動産の購入に際し、Bに
は意思能力がある必要はないが、Aには行為能力がある必要があ
る。

## 無権代理

Aは、代理権がないにもかかわらず、Bのためにすることを示して、
Cとの間でB所有の甲土地を売却する旨の契約を締結した。Bは、
Aから甲土地の売買代金の一部を受領した。この場合、Bは、Aの
無権代理行為を追認したものとみなされる。

○ **106**

Bが使者である場合、意思表示の瑕疵は本人について問題となるため、重過失があるAは95条3項1号により錯誤取消しを主張することができず、代金支払を免れることができない。

× **107**

Bが代理人である場合、代理人は自ら代理行為を行うので、Bには意思能力が必要である（行為能力については102条により不要）。逆に本人Aの能力については、法律行為は代理人Bが行うため、本人Aに意思能力・行為能力は不要である。

○ **108**

Bが使者である場合、使者は本人の意思を伝達する機関にすぎないため、Bには行為能力はもちろん意思能力も不要であるが、本人Aには、意思能力・行為能力が必要である。

× **109**

追認したものとみなすとする125条（法定追認）は、無権代理には類推適用されない（最判昭54.12.14）。

## 110 ▢▢▢ 平14-2-イ

Aは、代理権がないにもかかわらず、Bのためにすることを示して、Cとの間でB所有の甲土地を売却する旨の契約（以下「本件売買契約」という。）を締結した。Cは、Bに対し、本件売買契約を取り消すとの意思表示をした。この場合、Cは、Aに対し、無権代理人としての責任を追及して本件売買契約の履行を求めることができる。

## 111 ▢▢▢ 平9-3-1（平7-4-ウ、平28-5-ア）

本人が無権代理人に対して契約を追認した場合でも、相手方は、その追認があったことを知らないときは、無権代理であることを理由として契約を取り消すことができる。

## 112 ▢▢▢ 平23-6-ウ

Aの代理人であると称するBが、Cとの間で、Aが所有する甲建物の売買契約を締結したところ、Bは代理権を有していなかった。本件売買契約を締結した後に、Bの無権代理によるCへの甲建物の売却を知らないDに対してAが甲建物を売却し、その後、AがBの無権代理行為を追認した場合に、AがBの無権代理行為を追認しても、第三者の権利を害することはできないので、追認の遡及効は制限され、対抗要件の具備を問うまでもなくDが所有権を取得する。

## 113 ▢▢▢ 平3-1-3（平23-6-ア）

甲からコピー機賃借に関する代理権を与えられた乙が、丙との間でコピー機を買い受ける契約をした。丙が乙に代理権がないことを知っていた場合、丙は甲に対して売買契約を追認するや否やを催告することはできない。

## × 110

無権代理による契約を取り消した相手方は、無権代理人としての責任（117）を追及することはできない。相手方が取消権を行使すると、そもそも無権代理行為による契約がなかったことになるからである（121）。

## ○ 111

無権代理人に対して追認した場合は、相手方が追認を知らないときは、相手方に対して追認の効果を主張することができない（113Ⅱ）。

## × 112

権利の取得を第三者に対抗するために対抗要件の具備が必要とされる権利について無権代理人の行為と第三者の行為が競合する場合は、対抗要件の有無又はその前後によって権利の優劣が決せられ、116条ただし書の適用はない。

## × 113

相手方の催告権は、取消権（115）と異なり、相手方が無権代理であることにつき悪意である場合にも認められる（114）。したがって、丙は無権代理につき悪意であっても催告権を有する。

Aは、何らの権限もないのに、Bの代理人と称して、Cとの間にB所有の不動産を売り渡す契約を締結した。BがCに対して追認をする意思表示をした場合において、契約の効力が発生する時期について別段の意思表示がされなかったときは、契約の効力は追認した時から生じる。

相手方が本人に対して相当の期間を定めて契約を追認するか否かを催告したが、応答のないままその期間が経過した場合、本人は、無権代理人がした契約を追認したものとみなされる。

Aの代理人であると称するBが、Cとの間で、Aが所有する甲建物の売買契約（以下「本件売買契約」という。）を締結したところ、Bが代理権を有していなかったという事例において、Cは、Aに対して本件売買契約を追認するか否かの催告を行うことができ、また、Aの追認がない間は、Bが代理権を有しないことについてCが善意か悪意かを問わず、契約を取り消すことができる。

**× 114**

追認の効果は、別段の意思表示がない限り、追認の時からではなく、契約の時にさかのぼって効力が生ずる（116本文）。

**× 115**

無権代理行為がされた場合において、相手方の相当の期間を定めた催告にもかかわらず本人がその期間内に確答をしないときは、追認拒絶が擬制される（114後段）のであって、追認が擬制されるものではない。

**× 116**

相手方Cは、本人Aに対して本件売買契約を追認するか否かの催告を行うことができるが、Aの追認がない間は、Bが代理権を有しないことについてCが善意の場合にのみ、契約を取り消すことができる（115但書参照）。

## 117 ☐☐☐

ＡがＢから代理権を授与されていないにもかかわらず、Ｂの代理人として、Ｃとの間でＢ所有の甲建物の売買契約を締結した場合において、Ｃが、ＡがＢから代理権を授与されていないことを知らず、また、知らないことについて過失はあったものの、それが重大な過失でなかった場合に、Ｃは、Ａに対し、無権代理人の責任を追及することができる。

## 118 ☐☐☐

Ａが、自己に代理権がないことを知りながら、本件売買契約を締結した場合であっても、Ａが代理権を有しないことをＣが過失によって知らなかったときは、Ａは、Ｃに対して民法第117条第1項による無権代理人の責任を負わない。

## 119 ☐☐☐

Ａが、実父Ｂを代理する権限がないのに、Ｂの代理人と称してＣから金員を借り受けた場合において、Ｂが死亡し、ＡがＢを単独で相続した場合、ＣはＡに代理権がないことを知らなかったことに過失があったとしても、Ｃは、Ａに対し、貸金の返還を請求することができる。

## ✕ 117

他人の代理人として契約をした者が代理権を有しないことを相手方が過失によって知らなかったときは、当該他人の代理人として契約をした者が自己に代理権がないことを知っていたときを除き、当該相手方は、無権代理人の責任を追及することができない（117Ⅱ②・Ⅰ）。そして、この過失は、重過失に限定されるものではなく、軽過失も含む（最判昭62.7.7）。したがって、Cは、知らないことについて過失があれば、それが重大な過失でない場合であっても、Aに対して無権代理人の責任を追及することはできない。

## ✕ 118

他人の代理人として契約をした者は、自己に代理権がないことを知っていた場合には、相手方が有過失であっても、民法117条1項による無権代理人の責任を負う（117Ⅱ②・①）。

## ○ 119

無権代理人が、本人を単独相続した場合、本人が自ら法律行為をしたのと同様な法律上の地位を生じたものと扱われる（最判昭40.6.18）。したがって、Aによる無権代理の瑕疵は治癒され、Cは、Aに対し、貸金の返還を請求することができる。

Aは、Bから代理権を授与されていないにもかかわらず、Bの代理人と称して、Cとの間でB所有の甲土地の売買契約（以下「本件売買契約」という。）を締結した。本件売買契約の締結後にBが追認を拒絶した場合には、その後にAがBを単独で相続したとしても、本件売買契約は有効にならない。

Aが、父親Bから代理権を授与されていないのに、Bの代理人として、第三者との間で、B所有の甲建物を売る契約（以下「本件売買契約」という。）を締結した。本件売買契約の締結後にBが追認も追認拒絶もしないまま死亡し、AがBを単独で相続した場合には、本件売買契約の効果は、当然にAに帰属する。

Aが、父親Bから代理権を授与されていないのに、Bの代理人として、第三者との間で、B所有の甲建物を売る契約（以下「本件売買契約」という。）を締結した。本件売買契約の締結後にBが追認も追認拒絶もしないまま死亡し、Aが他の相続人Cと共にBを相続した場合には、Cが追認しない限り、本件売買契約は、Aの相続分に相当する部分においても、当然には有効とならない。

○ **120**

本人が無権代理行為の追認を拒絶した場合には、その後に無権代理人が本人を相続したとしても、無権代理行為が有効になるものではない（最判平10.7.17）。

○ **121**

無権代理人が本人を相続し、本人と代理人の資格が同一人に帰するに至った場合においては、本人が自ら法律行為をしたのと同様な法律上の地位を生ずる（最判昭40.6.18）。したがって、Bが追認も追認拒絶もしないまま死亡し、AがBを単独で相続した場合には、売買契約の効果は、当然にAに帰属する。

○ **122**

無権代理人が本人を他の相続人と共に共同相続した場合、他の共同相続人全員の追認がない限り、無権代理行為は、無権代理人の相続分に相当する部分においても、当然に有効となるものではない（最判平5.1.21）。

無権代理人Ａが、父親Ｂを代理して、第三者Ｃに対し、Ｂ所有の不動産を売り渡したという事例において、Ａが死亡してＢがＡを単独で相続した場合、無権代理人の地位を相続した本人が無権代理行為の追認を拒絶しても、何ら信義に反するところはないから、ＢＣ間の売買契約は当然に有効となるものではない。また、ＢがＡの民法第117条による無権代理人の責任を相続することもない。

Ａは、Ｂから代理権を授与されていないにもかかわらず、Ｂの代理人と称して、Ｃとの間でＢ所有の甲土地の売買契約（以下「本件売買契約」という。）を締結した。本件売買契約の締結後にＡがＢから甲土地の譲渡を受けた場合においても、Ｃは、その選択に従い、Ａに対し、履行の請求又は損害賠償の請求をすることができる。

無権代理人Ａが、父親Ｂを代理して、第三者Ｃに対し、Ｂ所有の不動産を売り渡したという事例において、Ａが死亡し、Ｂ及びＡの母親Ｆが共同相続した後、Ｂが追認も追認拒絶もしないまま死亡し、ＦがＢを単独相続した。この場合、無権代理人の地位を本人と共に相続した者が、さらに本人の地位を相続しているが、その者は、自ら無権代理行為をしたわけではないから、無権代理行為を追認することを拒絶しても、何ら信義に反するところはないため、ＢＣ間の売買契約は当然に有効となるものではない。

×  **123**

相続人である本人が被相続人の無権代理行為の追認を拒絶しても何ら信義則に反するものではないから、被相続人の無権代理行為は本人の相続により当然有効となるものではない（最判昭37.4.20）。しかし、無権代理人が117条により相手方に債務を負担している場合、本人は相続により無権代理人の債務を承継するのであって、無権代理行為の追認を拒絶できる地位にあったからといって、債務を免れることはできない（最判昭48.7.3）。

○  **124**

無権代理人が本人所有の不動産を売り渡したところ、その後本人から当該不動産の譲渡を受け、その所有権を取得するに至った場合でも、当該無権代理人は、117条（無権代理人の責任）の定めるところにより、相手方の選択に従い履行又は損害賠償の責任を負う（最判昭41.4.26）。

×  **125**

無権代理人を本人とともに相続した者がその後に本人を相続した場合には、当該相続人は本人の資格で無権代理行為の追認を拒絶する余地はなく、本人が自ら法律行為をしたのと同様の地位・効果が生ずる（最判昭63.3.1）。したがって、ＢＣ間の売買契約は当然に有効となる。

当事者が無効な行為を追認したときは、当該追認は、当該行為の時に遡ってその効力を生ずる。

## 表見代理

無権代理人は、相手方が無権代理人に対して民法第117条の規定によりした履行請求に対して、表見代理が成立することを主張・立証して自己の責任を免れることはできない。

**✕ 126**

無効な行為は、追認によっても、その効力を生じないが、当事者がその行為の無効であることを知って追認をしたときは、追認の時に、従前の行為と同一内容の行為を新たにしたものとみなされる（119）。

**〇 127**

表見代理の要件と無権代理の要件の両者が存する場合、相手方は前者の主張をしないで、117条による無権代理人の責任を問うことができるが、その際、無権代理人は、表見代理が成立することを主張・立証して自己の責任を免れることはできない（最判昭62.7.7）。

# ❺ 条件・期限

## 条件

### 128 □□□                                    平2-16-1（平17-6-ア）

停止条件付法律行為について条件が成就した場合、初めから効力を有していたものとみなされる。

### 129 □□□                                              平31-5-ア

ある事実が発生しないことを停止条件とする法律行為は、無効となる。

### 130 □□□                                    平21-4-オ（平17-6-ア）

解除条件が成就した場合には、当然に、その条件が付された法律行為が成立した時にさかのぼって、その法律行為の効力が消滅する。

### 131 □□□                                    平2-16-5（平17-6-オ）

法律行為の当時、停止条件の不成就が既に確定していた場合に、当事者がそれを知らなかったときは、無条件の法律行為となる。

### 132 □□□                                              平24-5-オ

Yは、Xとの間で、Xが半年後に実施される資格試験に合格したら、Y所有の甲時計をXに贈与する旨を約した。その後、Yは、故意に甲時計を壊した。Xは、これを知り、当該資格試験に合格した後、Yに対し、不法行為に基づく甲時計の価額相当分の損害賠償を請求した。このとき、XのYに対する請求は認められる。

## × 128

停止条件付法律行為は、条件成就の時まで法律行為の効力発生が停止しているため、原則として条件成就時に効力が発生する（127Ⅰ）。

## × 129

条件が成就することにより、法律行為の効力が発生する条件を「停止条件」という。この点、ある事実が発生しないことを停止条件とする法律行為も有効となり得る。

## × 130

解除条件が成就した場合には、解除条件が成就した時にその効力を失うのが原則である（127Ⅱ）。もっとも、当事者の意思により効果を条件が成就した以前にさかのぼらせることもできる（127Ⅲ）。

## × 131

停止条件付きの法律行為は、不成就に確定すれば法的効果が発生することはなく法律上、無意味であるから無効となる（131Ⅱ）。この効果は、当事者の主観により左右されるものではない。

## ○ 132

条件付法律行為の各当事者は、条件の成否が未定である間は、条件が成就した場合にその法律行為から生ずべき相手方の利益を害することができず（128）、一方当事者が有する条件付権利を侵害した他方当事者は不法行為に基づく損害賠償責任を負う（709）。

## 133 □□□ 平17-6-オ

法律行為の当時、既に条件が成就していた場合において、その条件が解除条件であるときは、その法律行為は、無効である。

## 134 □□□ 平31-5-ウ

解除条件が成就しないことが法律行為の時に既に確定していた場合には、その法律行為は、無効となる。

## 135 □□□ 平31-5-イ

不法な停止条件を付した法律行為は、無効となる。

## 136 □□□ 平2-16-4（平17-6-イ）

不法行為をしないことを停止条件とする法律行為は、無効である。

## 137 □□□ 平17-6-エ

社会通念上、実現が不可能な停止条件を付した法律行為は、無効である。

## 138 □□□ 平31-5-オ

不能の解除条件を付した法律行為は、無条件となる。

## 139 □□□ 平31-5-エ（平17-6-ウ）

単に債務者の意思のみに係る停止条件を付した法律行為は、無効となる。

## ○ 133

法律行為の当時、解除条件の成就が既に確定していた場合には、その法律行為は無効である（131 I後段）。

## × 134

条件が成就しないことが法律行為の時に既に確定していた場合において、その条件が解除条件であるときは、その法律行為は無条件とされる（131 II）。

## ○ 135

不法な条件を付した法律行為は、無効とされる（132前段）。この点、ここにいう「条件」には、停止条件及び解除条件の両方が含まれる。

## ○ 136

不法な行為をしないことを条件とするものは、無効とされる（132後段）。

## ○ 137

社会通念上、実現が不可能な停止条件を付した法律行為（不能停止条件）は無効である（133 I）。

## ○ 138

不能の解除条件を付した法律行為は、無条件とされる（133 II）。

## ○ 139

停止条件付法律行為は、その条件が単に債務者の意思のみに係るときは、無効とされる（134）。

Ｙは、Ｘとの間で、Ｙが交際中のＡと結婚したら、Ｙ所有の甲自動車をＸに贈与する旨を約した。その後、Ｙは、Ａから結婚の申込みを受けたが、仕事の都合から回答を保留し、これがきっかけとなって、結局、ＹとＡとの関係が破綻し、ＹがＡと結婚する見込みはなくなった。この場合、ＸのＹに対する甲自動車の引渡し請求は認められる。

条件の成就によって利益を受ける当事者が信義則に反するような方法で条件を成就させた場合には、条件の成就によって不利益を受ける当事者は、条件が成就していないものとみなすことができる。

認知には、条件を付すことができる。

× 140

条件が成就することによって不利益を受ける当事者が故意にその条件の成就を妨げたときは、相手方は、その条件が成就したものとみなすことができる（130Ⅰ）。本肢においては、Yが故意に条件の成就を妨げたというわけではないため、XのYに対する請求は認められない。

○ 141

条件が成就する事によって利益を受ける当事者が不正にその条件を成就させたときは、相手方は、その条件が成就しなかったものとみなすことができる（130Ⅱ）。

× 142

公益に反するため、婚姻や縁組、認知などの身分行為については、条件を付すことはできない。

# ❻ 時効

総説

## 143 □□□ 　　　　　　　　　　　　　　平2-19-ウ

乙の抵当権が設定され、その登記を経た土地を、甲が時効取得した場合でも、乙の抵当権は失われない。

## 144 □□□ 　　　　　　　　　　平20-7-ア（平24-6-ア）

後順位抵当権者は、先順位抵当権の被担保債権が消滅すると先順位抵当権も消滅し、その把握する担保価値が増大するので、その被担保債権の消滅時効を援用することができる。

## 145 □□□ 　　　　　　　　　　平5-3-ア（平29-6-ウ）

主たる債務者がなした時効利益の放棄は、保証人に対しても効力を生ずるので、保証人は、時効を援用することができない。

## 146 □□□ 　　　　　　　　　　平20-7-イ（平13-11-ア）

他人の債務のために自己の所有物件に抵当権を設定した物上保証人は、その被担保債権が消滅すると抵当権も消滅するので、被担保債権の消滅時効を援用することができる。

× **143**

取得時効は原始取得であり、占有者は一定の期間満了により、起算日にさかのぼって完全な所有権を取得し、その反射的効果として従前の所有者は所有権を失う。したがって、乙の抵当権は、甲が債務者又は抵当権設定者ではない限り、その登記の有無にかかわらず消滅する（397）。

× **144**

後順位抵当権者は先順位抵当権者の被担保債権の消滅時効を援用することはできない（最判平11.10.21）。

× **145**

時効利益の放棄は、時効の援用と同様、放棄した者のみにその効力を生ずる（相対効）。したがって、保証人は、自分に対する関係で、主たる債務の消滅時効を援用して、保証債務の消滅を主張することができる（大判昭6.6.4）。

○ **146**

消滅時効の援用権者は、保証人、物上保証人、第三取得者その他権利の消滅について正当な利益を有する者（145）であり、物上保証人も、145条の「当事者」として、抵当権の被担保債権の消滅時効を援用することができる（最判昭42.10.27、最判昭43.9.26）。

Aは、Bに対し、返還の時期を平成18年11月1日として、金銭を貸し付けた。Aは、本件貸金債権を担保するため、C所有の土地に抵当権の設定を受けた。Bは、平成27年6月1日、Aに対し、本件貸金債権の存在を承認した。この場合、Cは、平成28年12月20日に本件貸金債権の消滅時効を援用することができない。

消滅時効の援用は、援用権者の意思にかからしめられているので、金銭債権の債権者は、債務者の資力が自己の債権の弁済を受けるについて十分でないときは、債務者に代位して他の債権者に対する債務の消滅時効を援用することはできない。

詐害行為の受益者は、詐害行為取消権を行使する債権者の債権が消滅すれば、詐害行為取消権の行使による利益喪失を免れることができるので、その債権の消滅時効を援用することができる。

建物の敷地所有権の帰属につき争いがある場合において、その敷地上の建物の賃借人は、建物の賃貸人が敷地所有権を時効取得すれば賃借権の喪失を免れることができるので、建物の賃貸人による敷地所有権の取得時効を援用することができる。

○ **147**

主たる債務者に対する履行の請求その他の事由による時効の更新は、（物上）保証人に対しても、その効力を生ずる（457Ⅰ）。そのため、Bが本件貸金債権の存在を承認した場合、本件貸金債権の消滅時効は更新され、当該時効の更新の効力はCに対しても生ずる。したがって、Cは、本件貸金債権の消滅時効を援用することはできない。

× **148**

債権者は、債務者が他の債権者に対して負っている債務の消滅時効を主張することができない（大決昭12.6.30）。しかし、債務者に代位して他の債権者に対する債務の消滅時効を援用することができる（最判昭43.9.26）。

○ **149**

詐害行為の受益者は、取消債権者の被保全債権が時効消滅すれば利益喪失を免れることができる地位にあるから、債権の消滅によって直接利益を受ける者にあたり（最判平10.6.22）、145条にいう「正当な利益を有する者」といえ、取消債権者の被保全債権の消滅時効を援用することができる。

× **150**

土地を時効取得すべき者又はその承継人から、その土地上の建物を賃借しているにすぎない者は、当該土地の取得時効完成によって直接の利益を受ける者ではないため、当該建物の賃貸人による敷地所有権の取得時効を援用することができない（145、最判昭44.7.15）。

**151** ▢▢▢　　　　平29-6-ア（平11-2-ウ、平11-2-エ、平15-7-イ）

Aは、Bに対し、返還の時期を平成18年11月1日として、金銭を貸し付けた。Bは、平成28年12月1日、本件貸金債権の時効完成の事実を知らないで、Aに対し、本件貸金債権の存在を承認した。この場合、Bは、同月20日に本件貸金債権の消滅時効を援用することができる。

**152** ▢▢▢　　　　　　　　　　　　　　　　　平11-2-オ

債務者がいったん時効の利益を放棄した後であっても、時効の利益を放棄した時点から再び時効は進行するので、再度時効が完成すれば、債務者は、時効を援用することができる。

**153** ▢▢▢　　　　　　　　平5-3-エ（平11-2-イ、平28-6-ウ）

被保佐人が保佐人の同意なしになした債務の承認は、時効更新の効果を生じない。

**154** ▢▢▢　　　　　　　　　　　　平21-5-ア（平30-6-ウ）

未成年者であるAがその債権者Bに対してAの法定代理人Cの同意を得ないでその債務を承認したときは、Cはその承認を取り消すことができず、その債権の消滅時効は更新される。

**×** **151**

債務者が時効完成を知らずに承認等をしたとしても、以後時効の援用は許されない（最大判昭41.4.20）。

**○** **152**

債務者が消滅時効の完成後に債務を承認した場合でも、その承認以後再び時効は進行するので、債務者は再度時効が完成すれば時効を援用することができる（最判昭45.5.21）。この判例は、援用権喪失の事案であるが、放棄の場合も同様に解されている。

**×** **153**

被保佐人は管理能力を有するから、保佐人の同意を得ることなく、単独で債務の承認をすることができ、それにより時効更新の効果を生ずる（152Ⅱ参照、大判大7.10.9）。

**×** **154**

時効の更新の効力が生ずる債務の「承認」（152）は、財産管理行為の一つであることから、管理能力が必要である（152Ⅱの反対解釈）。そして、未成年者は管理能力を有しないため、未成年者が法定代理人の同意を得ないでした債務の承認は、取り消すことができ、取り消されると時効の更新の効力は生じない（大判昭13.2.4参照）。

平元-2-ウ（平24-6-エ）

主たる債務者が債務を承認した場合でも、その連帯保証人については、時効更新の効力が及ばない。

平31-16-イ

主債務者Aの主債務についてB及びCの二人の保証人がある場合において、Bが全額を弁済した場合において、AがBに対して求償債務を承認したとしても、BのCに対する求償権について消滅時効の更新の効力は生じない。

平21-5-イ

AがBに対する借入債務につきその利息を支払ったときは、その元本債権の消滅時効は更新される。

平21-5-エ

Bが、Aに対する債権をCに譲渡し、Aに対してその譲渡の通知をしたときは、その債権の消滅時効は更新される。

| × | **155** |

主たる債務者に対する履行の請求その他の事由による時効の完成
猶予及び更新は、保証人に対しても、その効力を生ずる（457Ⅰ）。
そして、連帯保証人も保証人であることから、主たる債務者に生
じた事由の効力は、連帯保証人にも及ぶ（最判昭40.9.21）。

| ○ | **156** |

時効は、権利の承認があったときは、その時から新たにその進行
を始める（152Ⅰ）。もっとも、152条の規定による時効の更新は、
更新の事由が生じた当事者及びその承継人の間においてのみ、そ
の効力を有する（153Ⅲ）。したがって、AがBに対して求償債
務を承認したとしても、BのCに対する求償権について消滅時効
の更新の効力は生じない。

| ○ | **157** |

「承認」とは、時効利益を受けるべき者が、権利の不存在又は権
利の存在を権利者に対して表示することをいい（観念の通知）、
時効の更新事由に当たる。利息の支払は、「承認」（152）に当た
るので（大判昭3.3.24）、元本債権の消滅時効は更新される。

| × | **158** |

債権譲渡の通知（467）は、譲渡の事実を知らせるものにすぎず
（観念の通知）、債権譲渡の通知があったとしても時効は更新され
ない。

159 ▢▢▢ 　　　　　　　　　　　　　　　平21-5-オ

Aの債権者Bが、債権者代位権に基づき、Aに代位してAのCに対する債権についてCに裁判上の請求をしたときは、AのCに対する当該債権の消滅時効はその完成が猶予される。

160 ▢▢▢ 　　　　　　　　　　　　　　　令4-6-ア

貸金の返還の訴えが提起された後、その訴えが取り下げられた場合には、時効の完成猶予の効力は生じない。

161 ▢▢▢ 　　　　　　　　　　　　　　　令4-6-イ

債権者が債務者の財産に仮差押えをした場合には、時効の完成が猶予され、その事由が終了した時から、新たに時効が進行する。

162 ▢▢▢ 　　　　　　　　　　　　　　　令4-6-エ

催告によって時効の完成が猶予されている間に、再度の催告があった場合には、再度の催告があった時から6か月を経過するまでの間は、時効は完成しない。

163 ▢▢▢ 　　　　　　　　　　　　　　　平30-6-イ

売買契約において、売主が、自己の目的物引渡債務を履行していないにもかかわらず、代金の支払期限が到来したことから買主に対し売買代金支払債務の履行を催告した場合において、催告の時から6か月を経過するまでの間は、その売買代金支払債務について消滅時効の完成は猶予される。

○ **159**

債権者が債権者代位権（423）に基づいて第三債務者に対し債務者の債権を代位行使して裁判上の請求をしたときは、債務者の第三債務者に対する債権の時効はその完成が猶予される（大判昭15.3.15）。

✕ **160**

裁判上の請求がある場合には、その事由が終了する（確定判決によって権利が確定することなくその事由が終了した場合にあっては、その終了の時から6か月を経過する）までの間は、時効は、完成しない（147Ⅰ①）。

✕ **161**

仮差押え及び仮処分は、暫定的な保全手段であるため、時効の完成猶予の効力のみ認められ、時効の更新の効力は認められない（149参照）。

✕ **162**

催告によって時効の完成が猶予されている間にされた再度の催告は、その時効の完成猶予の効力を有しない（150Ⅱ）。

○ **163**

催告があったときは、その時から6か月を経過するまでの間は、時効は、完成しない（150Ⅰ）。これは、売買契約において当事者が互いに同時履行の抗弁権（533）を有する場合に、売主が自己の債務の提供をせずに買主に履行を催告したときも、同様である。

## 164 □□□ 平21-5-ウ

Aが所有する不動産の強制競売手続において、当該不動産に抵当権を設定していたBが裁判所書記官の催告を受けてその抵当権の被担保債権の届出をしたときは、その被担保債権の消滅時効はその完成が猶予される。

## 165 □□□ 平30-6-ア

貸金債務を負う者が死亡し、その者に複数の相続人がいる場合において、遺産の分割の際にその貸金債務を負担する相続人を決定したときは、その決定した時から6か月を経過するまでの間は、その貸金債務について消滅時効は完成しない。

## 取得時効

## 166 □□□ 平31-6-ア（平8-4-ウ）

土地の所有権は、一筆の土地の一部のものであっても、時効により取得することができる。

## 167 □□□ 平18-7-イ

地上権及び永小作権は、時効によって取得することができるが、地役権は、時効によって取得することができない。

× **164**

判例は、債権届出は債権計算書の提出であり、その性質は裁判所への資料の提出にすぎないことを理由に完成猶予事由に当たらないとする（最判平元.10.13）。

× **165**

相続財産に関しては、相続人が確定した時、管理人が選任された時又は破産手続開始の決定があった時から6か月を経過するまでの間は、時効は、完成しない（160）。この点、貸金債務を負担する相続人を決定しただけでは160条の事由に該当しない。

○ **166**

一筆の土地の一部のものであっても、時効により取得することは可能である（大連判大13.10.7）。

× **167**

地上権及び永小作権は、時効によって取得することができる（163）。また、地役権も継続的に行使され、かつ、外形上認識することができるものに限り、時効によって取得することができる（283）。

賃借権は、時効により取得することができる。

ＡがＢ所有の甲土地を所有者と称するＣから買い受け、これにより甲土地が自己の所有となったものと誤信し、かつ、そう信じたことに過失なく８年間占有した後に、甲土地がＢ所有の土地であることに気付いた場合、その後２年間甲土地を占有したときであっても、Ａは甲土地の所有権を取得しない。

建物の所有権を時効により取得したことを原因として所有権の移転の登記をする場合には、その登記原因の日付は、取得時効が完成した日となる。

Ａが、Ｂ所有の甲土地について、Ｂとの間で使用貸借契約を締結し、その引渡しを受けたが、内心においては、当初から甲土地を時効により取得する意思を有していた場合、Ａは、甲土地の占有を20年間継続したとしても、甲土地の所有権を時効により取得することはできない。

## ○ 168

不動産賃借権については、目的物の継続的な用益という外形的事実が存在し、かつ、それが賃借の意思に基づくものであることが客観的に表現されているときは、163条に従い時効取得が可能である（最判昭43.10.8）。

## × 169

善意の占有者が、占有の途中で悪意となっても、占有の開始時に善意・無過失であれば10年の取得時効は成立する（大判明44.4.7）。

## × 170

時効の効力はその起算日にさかのぼるため（144）、時効による所有権取得の時期は、時効の起算日である。そして、時効の起算日とは、その占有を開始した日をいう。そのため、時効取得による所有権移転の登記の登記原因日付も時効の起算日、すなわち占有開始日となる。

## ○ 171

所有権の取得時効の要件として、所有の意思のある占有（自主占有）が必要である（162）。そして、所有の意思の有無は、占有を取得した原因たる事実によって外形的客観的に定められる（最判昭45.6.18）。この点、使用賃借の借主の占有は、他主占有であり、内心において甲土地を時効により取得する意思を有していた場合であっても、甲土地を時効により取得することはできない。

甲土地を10年間占有したことを理由として甲土地の所有権を時効により取得したことを主張する者は、法律上、その占有の開始の時に善意であったことだけでなく、無過失であったことも推定される。

Aがその所有する甲土地について、BのCに対する債権を被担保債権とし、Bを抵当権者とする抵当権を設定した後に、Cが甲土地の所有権を時効により取得したときであっても、Bの抵当権は消滅しない。

A所有の甲土地をAから賃借したBがその対抗要件を具備する前に、CがAから甲土地につき抵当権の設定を受けてその旨の登記をした場合において、Bが、その後引き続き賃借権の時効取得に必要とされる期間、甲土地を継続的に使用収益したときは、Bは、抵当権の実行により甲土地を買い受けた者に対し、甲土地の賃借権を時効取得したと主張することができる。

× 172

10年間、所有の意思をもって、平穏に、かつ、公然と他人の物を占有した者は、その占有の開始の時に、善意であり、かつ、過失がなかったときは、その所有権を取得する（162Ⅱ）。この点、善意については、186条により推定されるが、無過失については推定されず、時効取得を主張する者がこれを立証しなければならない（最判昭46.11.11）。

○ 173

債務者又は抵当権設定者でない者が抵当不動産について取得時効に必要な要件を具備する占有をしたときは、抵当権は、これによって消滅する（397）。したがって、抵当権の被担保債権の債務者Cが抵当不動産である甲土地を時効取得したときは、Bの抵当権は消滅しない。

× 174

不動産の賃借権を有する者がその対抗要件を具備しない間に、当該不動産に抵当権が設定されその旨の登記がされた場合、上記の者は、当該登記後に賃借権の時効取得に必要な期間、当該不動産を継続的に用益しても、公売又は競売により当該不動産を買い受けた者に対し、賃借権の時効取得を対抗することができない（最判平23.1.21）。

## 175 ☐☐☐ 平29-8-ア（平31-14-イ）

A所有の甲土地について、Bの取得時効が完成した後その旨の所有権の移転の登記がされる前に、CがAから抵当権の設定を受けてその旨の抵当権の設定の登記がされた場合には、Bが当該抵当権の設定の登記後引き続き時効取得に必要な期間占有を継続したときであっても、Cの抵当権が消滅することはない。

## 176 ☐☐☐ 平10-3-4（平30-6-オ）

Aは、Bに対し、自己所有の甲土地を売却し、代金と引換えに甲土地を引き渡したが、その後、Cに対しても甲土地を売却し、代金と引換えに甲土地の所有権移転登記を経由した。この場合、Bは、甲土地の引渡しを受けた後に、他人により占有を奪われたとしても、占有回収の訴えを提起して占有を回復した場合には、継続して占有したものと扱われるので、占有を奪われていた期間も、時効期間に算入される。

## 177 ☐☐☐ 平18-7-エ

債権は、時効によって消滅するが、時効によって取得できる債権はない。

## × 175

不動産の取得時効の完成後、所有権移転登記がされることのないまま、第三者が現所有者から抵当権の設定を受けて抵当権設定登記を備えた場合において、当該不動産の時効取得者である占有者が、その後引き続き時効取得に必要な期間占有を継続したときは、当該占有者が当該抵当権の存在を容認していたなど抵当権の消滅を妨げる特段の事情のない限り、当該占有者は、当該不動産を時効取得し、その結果、当該抵当権は消滅する（最判平24.3.16）。

## ○ 176

占有者が「他人によってその占有を奪われた」ときは時効は中断する（164）が、「占有者が占有回収の訴えを提起した」ときは占有は失われなかったものとして取り扱われる（203但書）。もっとも、単に占有者が占有回収の訴えを提起したという事実のみでは足らず、これに勝訴して現実に占有を回復したときにはじめて、占有権が消滅しなかったと擬制される（最判昭44.12.2）。

## × 177

債権は、時効によって消滅する（166Ⅰ）。これに対して、取得時効については、物の占有を要件とするから、占有になじまない権利について取得時効は成立しない。もっとも、不動産賃借権は、債権であるが、不動産を占有して使用するものであるから時効取得することができる（最判昭62.6.5）。

AがB所有の甲土地を所有者と称するCから買い受け、これにより甲土地が自己の所有となったものと誤信し、かつ、そう信じたことに過失なく3年間占有した後、甲土地をBの所有であることを知っているDに売却し、Dが7年間甲土地を占有した場合、Dは甲土地の所有権を取得する。ただし、占有について、平穏及び公然の要件は満たしているものとする。

甲建物に居住して善意・無過失の自主占有を8年間続けたAから甲建物を買い受けた善意・無過失のBは、その買受けと同時に甲建物をAに賃貸し、Aが甲建物に引き続き居住して更に2年間が経過した。Bは、甲建物について取得時効を主張することができる。ただし、取得時効の要件のうち、「平穏かつ公然」の要件は、いずれも満たされているものとする。

甲建物に居住して悪意の自主占有を3年間続けたAは、甲建物をBに賃貸して引き渡した。Aは、その5年後に、甲建物を善意・無過失のCに譲渡し、Cの承諾を得て、Bに譲渡の事実を通知し、その後、更に10年間が経過した。Cは、甲建物について取得時効を主張することができる。ただし、取得時効の要件のうち、「平穏かつ公然」の要件は、いずれも満たされているものとする。

## ○ 178

10年間、所有の意思をもって、平穏、かつ、公然と他人の物を占有した者は、その占有の始めに善意・無過失であれば、その不動産の所有権を取得する（162Ⅱ）。そして、占有承継人は、前主の占有を併せて主張することもできる（187Ⅰ）。この場合、占有者の善意・無過失については、最初の占有者につきその占有開始の時点においてこれを判定すれば足りる（最判昭53.3.6）。したがって、Dは、前主Aの善意・無過失での3年間の占有を併せて主張することで、甲土地の所有権を取得することができる。

## ○ 179

本肢のBは、占有改定（183）により、Aを占有代理人とする自主占有を取得している。そこで、Bは、甲建物につき、自己の善意・無過失での2年間の自主占有のみでは取得時効（162Ⅱ）を主張することができないが、前主Aの善意・無過失での8年間の自主占有を併せて主張することにより（187Ⅰ後段）、取得時効を主張することができる。

## ○ 180

本肢のCは、指図による占有移転（184）により、Bを占有代理人とする自主占有を取得し、その後10年が経過している。したがって、Cは、甲建物につき、自己の善意・無過失での10年間の自主占有のみを主張することにより（187Ⅰ前段）、取得時効（162Ⅱ）を主張することができる。

甲建物に居住して悪意の自主占有を8年間続けたAは、甲建物を善意・無過失のBに譲渡して引き渡した。Bは、自ら8年間甲建物に居住した後、甲建物を悪意のCに譲渡して引き渡し、Cがこの建物に居住して2年間が経過した。Cは、甲建物について取得時効を主張することができる。ただし、取得時効の要件のうち、「平穏かつ公然」の要件は、いずれも満たされているものとする。

甲建物の所有者Aは、甲建物をBに賃貸して引き渡した。その2年後、Bが死亡したところ、善意・無過失の相続人Cは、甲建物はBがAから買い受けたものであるとして、賃料の支払を拒絶して甲建物に居住を始めたが、Aがこれを放置してうやむやになったまま、更に10年間が経過した。Cは、甲建物について取得時効を主張することができる。ただし、取得時効の要件のうち、「平穏かつ公然」の要件は、いずれも満たされているものとする。

AがBに対して甲動産を貸し渡している。甲動産の真実の所有者であるEは、甲動産の取得時効の完成猶予の効力が認められるためには、Bに対して時効の完成猶予の効力を生じさせる方法をとるだけでは足りず、Aに対しても時効の完成猶予の効力を生じさせる方法をとらなければならない。

## ○ 181

Cは、前主Bの善意・無過失での8年間の占有を併せて主張することにより（187Ⅰ後段）、10年間の取得時効（162Ⅱ）を主張することができる（最判昭53.3.6参照）。

## ○ 182

Cは、甲建物はBがAから買い受けたものであるとして、賃料の支払を拒絶して甲建物に居住を始めており、このように、相続人が、新たに相続財産を事実上支配することによりこれに対する占有を開始し、その占有に所有の意思があるとみられる場合には、相続人は、被相続人の死亡後、185条にいう「新たな権原により」自主占有をするに至ったものと解されている（最判昭46.11.30）。

## ✕ 183

占有代理人に対する第三者の権利の行使は、同時に占有者本人に対する権利の行使となる（大判大10.11.3）。真の所有者Eは、占有代理人であるBに対してのみ時効の完成猶予の効力を生じさせる方法をとれば足りる。

## 消滅時効

確定期限のある債権の消滅時効は、当該期限が到来した時から進行するが、不確定期限のある債権の消滅時効は、当該期限が到来したことを債権者が知った時から進行する。

同時履行の抗弁権の付いている債権であっても、履行期が到来すれば債権の消滅時効は進行する。

期限の定めのない貸金債権の消滅時効は、金銭消費貸借契約が成立した時から進行する。

債務不履行によって生ずる損害賠償請求権の消滅時効は、本来の債務の履行を請求し得る時から進行する。

契約の解除による原状回復請求権は、解除によって新たに発生するものであるから、その消滅時効は、解除の時から進行する。

× **184**

確定期限のある債権は、期限が到来した時から時効が進行する。
そして、不確定期限のある債権もまた、期限が到来したことを債
権者が知らなくても、期限が到来した時から時効が進行する（166
Ⅰ①・②参照）。

○ **185**

同時履行の抗弁権が付着している債権であっても履行期が到来
し、弁済の提供によって消滅させることができる以上、その権利
は行使が可能であるから、履行期が到来すれば消滅時効は進行す
る。

× **186**

期限の定めのない債権の消滅時効は、原則、債権成立時から進行
する。例外として、期限の定めのない金銭消費貸借契約による貸
金債権の消滅時効は、金銭消費貸借契約が成立してから相当の期
間を経過した時から進行すると解されている。

○ **187**

債務不履行によって生じる損害賠償請求権の消滅時効は、本来の
債務の履行を請求し得る時から進行する（最判昭35.11.1、最判
平10.4.24）。

○ **188**

契約の解除による原状回復請求権は、解除によって新たに発生す
るものであるから、消滅時効は解除の時から進行する（大判大
7.4.13)。

## 189 ☐☐☐

割賦払債務について、債務者が割賦金の支払を怠ったときは債権者の請求により直ちに残債務全額を弁済すべき旨の約定がある場合には、残債務全額についての消滅時効は、債務者が割賦金の支払を怠った時から進行する。

## 190 ☐☐☐

債権者不確知を原因とする弁済供託をした場合には、供託者が供託金取戻請求権を行使する法律上の障害は、供託の時から存在しないから、その消滅時効は、供託の時から進行する。

## 191 ☐☐☐

不法行為に基づく損害賠償請求権は、不法行為の時から20年間行使しないときは、時効によって消滅する。

## 192 ☐☐☐

債権は、債権者が権利を行使することができることを知った時から10年間行使しないときは、時効によって消滅する。

## 193 ☐☐☐

確定判決によって確定した権利であって、確定の時に弁済期の到来している債権については、10年より短い時効期間の定めがあるものであっても、その時効期間は、10年となる。

**×　189**

債務者が割賦金の支払を怠ったときは債権者の請求により直ちに残債務全額を弁済すべき旨の約定がある割賦払債務につき、1回の不履行があったとしても、各割賦金債務の消滅時効は約定弁済期の到来ごとに順次進行し、**債権者が特に残債務全額の弁済を求める意思表示をしたときに限り、その時から残債務全額についての消滅時効が進行する**（請求時説、最判昭42.6.23）。

**×　190**

弁済供託における供託金取戻請求権の消滅時効は、過失なくして債権者を確知することができないことを原因とする弁済供託の場合を含め、**供託者が免責の効果を受ける必要が消滅した時から進行する**（最判平13.11.27）。

**○　191**

不法行為による損害賠償の請求権は、**不法行為の時から20年間行使しないときは、時効によって消滅する**（724②）。

**×　192**

債権は、債権者が権利を行使することができることを知った時から**5年間行使しないときは、時効によって消滅する**（166Ⅰ①）。

**○　193**

確定判決によって確定した権利については、10年より短い時効期間の定めがあるものであっても、その時効期間は、**10年となる**（169Ⅰ）。

人の生命又は身体を害する不法行為に基づく損害賠償請求権は、被害者又はその法定代理人が損害及び加害者を知った時から3年間行使しないときは、時効によって消滅する。

人の生命又は身体を害する不法行為による損害賠償請求権は、被害者又はその法定代理人が損害及び加害者を知った時から5年間行使しないときは、時効によって消滅する（724の2・724①）。

# 第**2**編

## 物 権

## 001 □□□ 平24-8-5

Ａがその所有する甲土地を深く掘り下げたために隣接するＢ所有の乙土地との間で段差が生じて乙土地の一部が甲土地に崩れ落ちる危険が発生した場合には、Ａが甲土地をＣに譲渡し、所有権の移転の登記をしたときであっても、Ｂは、Ａに対し、乙土地の所有権に基づく妨害予防請求権を行使することができる。

## 002 □□□ 平26-7-ウ

Ａ所有の甲土地に隣接する乙土地がその所有者Ｂにより掘り下げられたため、甲土地の一部が乙土地に崩落する危険が生じた場合において、当該危険が生じたことについてＢに故意又は過失がないときは、Ａは、Ｂに対し、甲土地の所有権に基づき、甲土地の崩落を予防するための設備の設置を請求することができない。

## 003 □□□ 平26-7-イ

Ａ及びＢが共有する甲土地のＢの持分がＣに売り渡され、その旨の登記がされたものの、当該持分の売買契約が虚偽表示により無効である場合には、Ａは、Ｃに対し、その持分権に基づき、当該登記の抹消登記手続を請求することができる。

**×　001**

物権的請求権の相手方は、現に他人の物権を客観的に侵害し、又は侵害の危険を生じさせている者である。

**×　002**

物権的請求権である妨害予防請求権は、権利の円滑な実現が妨げられただけで当然に発生し、相手方の故意又は過失は不要である。そして、土地の所有者は、隣地の所有者が境界に沿って深く土地を掘り下げたため、自己所有の土地が崩れる危険が生じた場合には、これを防止するための措置を請求することができる（大判昭12.11.19）。

**○　003**

不動産の共有者の一人は、その持分権に基づき、共有不動産に対して加えられた妨害を排除することができるところ、不実の持分移転登記がされている場合には、その登記によって共有不動産に対する妨害状態が生じているということができるから、共有不動産について全く実体上の権利を有しないのに持分移転登記を経由している者に対し、単独でその持分移転登記の抹消登記手続を請求することができる（最判平15.7.11）。

物

権

❶ 物権総論

　　　　　　平14-8-エ（平29-8-オ、令3-7-ア）

A所有の土地上に不法に建てられた建物の所有権を取得し、自らの意思に基づきその旨の登記をしたBは、その建物をCに譲渡したとしても、引き続きその登記名義を保有する限り、Aに対し、自己の建物所有権の喪失を主張して建物収去土地明渡しの義務を免れることはできない。

　　　　　　　　　　平26-7-ア（平30-7-ア）

A所有の甲土地上に、Bが乙建物をAに無断で建築して所有しているが、Bとの合意によりCが乙建物の所有権の登記名義人となっているにすぎない場合には、Aは、Cに対し、甲土地の所有権に基づき、乙建物の収去及び甲土地の明渡しを請求することができる。

　　　　　　　　　　　　　　　令3-7-イ

Aの所有する甲土地をBが賃借して賃借権の設定の登記をした場合において、Cが自己の所有する乙動産をA及びBに無断で甲土地に置いているときは、Bは、Cに対し、甲土地の賃借権に基づき、乙動産の撤去を請求することができない。

　　　　　　　　　　平26-7-エ（平元-5-2）

A所有の甲土地上に、Bが乙建物をAに無断で建築して所有している場合において、Aが甲土地の所有権の登記名義人でないときは、Aは、Bに対し、甲土地の所有権に基づき、乙建物の収去及び甲土地の明渡しを請求することができない。

他人の所有地に不法に立てられた建物の所有権を取得した者が自らの意思に基づきその旨の登記をした上で当該建物を譲渡した場合には、引き続きその登記名義を保有する限り、土地所有者に対し、自己の建物所有権の喪失を主張して建物収去土地明渡しの義務を免れることはできない(最判平6.2.8、最判昭35.6.17参照)。

× **005**

建物の所有権を有しない者は、たとえ、所有者との合意により、建物につき自己のための所有権保存登記をしていたとしても、建物を収去する権能を有しないから、建物の敷地所有者の所有権に基づく請求に対し、建物収去義務を負うものではない(最判昭47.12.7)。

物

権

**1**

物
権
総
論

× **006**

不動産の賃借人は、605条の2第1項に規定する対抗要件を備えた場合において、その不動産の占有を第三者が妨害しているときは、その第三者に対する妨害の停止の請求をすることができる(605の4①)。

× **007**

無権原で他人の不動産を占有する者は、177条にいう第三者に該当せず、所有権者は、不法占有者に対して登記がなくても所有権の取得を対抗することができる(最判昭25.12.19)。

## 008 □□□ 　　　　　　　　　平元-5-1（平8-15-2、平26-7-オ）

所有権に基づく物権的返還請求権は、時効により消滅することがない。

## 009 □□□ 　　　　　　　　　　　　　　　　平24-8-1

所有権に基づく妨害排除請求権は、相手方が責任能力を欠いている場合であっても、その成立は妨げられない。

## 010 □□□ 　　　　　　　　　　　　　　　　令3-7-ウ

Aの所有する甲土地を賃借しているBが、Cの所有する乙動産を賃借して甲土地に置いている場合において、その後、AB間の賃貸借契約が終了したが、Bが乙動産を甲土地に放置しているときは、Aは、Cに対し、甲土地の所有権に基づき、乙動産の撤去を請求することができる。

## 011 □□□ 　　　　　　　　　　　　　　　　令3-7-エ

Aがその所有する甲土地をBに賃貸して引き渡し、その後、AB間の賃貸借契約が終了したが、Bがその所有する乙動産を甲土地に放置している場合において、AがBに対し賃貸借契約の終了に基づき乙動産の撤去を請求することができるときは、Aは、Bに対し、甲土地の所有権に基づき、乙動産の撤去を請求することができない。

## ○ 008

所有権は恒久性を有し、消滅時効にかからない。したがって、所有権の直接支配性から導かれる物権的返還請求権も時効消滅することはない（大判大5.6.23）。

## ○ 009

物権的請求権は物権の侵害又は侵害のおそれのある事実が生ずることによって発生する。すなわち、物権的請求権は、物権の本来的内容の実現が妨げられているという状態を根拠に発生し、これは不法行為の成立要件とは異なり、客観的状態から判断されれば足りる。

## ○ 010

妨害排除の請求の相手方は、現に違法な妨害状態を生じさせている者又はその妨害状態を除去することのできる者となる（大判昭5.10.31）。この点、BがAの所有する甲土地上にC所有の乙動産を無権限で放置した場合、妨害状態を発生させたのはBであって、Cはそのことについて何らの帰責性もないが、現時点において違法な妨害状態を作出しているのはC所有の乙動産であるから、AはCに対して妨害排除を請求することができる（同判例）。

## × 011

賃貸借契約の終了に基づく契約責任と、所有権に基づく物権的請求権が競合する場合には、選択によりいずれの請求権をも行使することができる。

物 権

① 物権総論

## ❷ 物権変動

### 物権変動総説

012 □□□ 　　　　　　　　　　　　　平4-10-ウ（令3-8-ア）

第三者が所有する物の売買においては、他人の物の売買であることが契約において明示されているかどうかにかかわらず、その所有権は売買契約の成立時には買主に移転しない。

013 □□□ 　　　　　　　　　　　　　　　　　　令4-17-ウ

ＡとＢが、Ｂの所有する建物の所有権をＣに移転する旨のＣを受益者とする第三者のためにする契約を締結したときは、当該建物の所有権は、Ｃの受益の意思表示をした時期にかかわらず、その契約の成立時に、Ｃに移転する。

014 □□□ 　　　　　　　　　　　　　　　　　　平8-4-ウ

Ｘは、Ａから昭和50年１月にＡ所有の１筆の土地の一部を買い受け、引渡しも受けたが、未登記のまま放置していた。その後、Ｘは昭和55年ころ、買い受けた土地上に樹木を植えた。しかし、昭和58年２月になって、Ａは同土地の全部がいまだ自己名義に登記されているのを幸いに、Ｙに対して同土地の全部及びＸの植えた樹木を自分のものであると偽って売却し、登記もすませた。この場合、占有は事実上の支配であり、土地の一部に事実上の支配を及ぼすことも可能であるから、Ｘは、一筆の土地の一部について時効取得することができる。

**○ 012**

所有権は、その移転を阻害する法律上の障害がある場合には、その障害がなくなった時に当然に移転する。したがって、本肢のように他人物の売買の場合には、売主が後日目的物の所有権を取得し処分権限を有するに至った時に、所有権移転を阻害する法律上の障害がなくなったものとして、買主に当然に所有権が移転することになる（最判昭40.11.19）。

**× 013**

第三者のためにする契約をした場合、第三者の権利は、第三者が債務者に対して当該契約の利益を享受する意思を表示した時に発生する（537Ⅲ）。

**○ 014**

取得時効の要件である「占有」（162）とは、物に対する事実的な支配状態をいい、不動産については一筆の土地の一部について占有することが可能なので、その部分を時効により取得することが認められる（大連判大13.10.7）。

物

権

**❷** 物権変動

## 不動産物権変動

### 015 ☐☐☐
平19-9-2

物権でない権利は、登記をすることができない。

### 016 ☐☐☐
平19-9-4

民法に定められている物権は、いずれも登記をすることができる。

### 017 ☐☐☐
平19-9-3

採石権及び水利権は、いずれも登記をすることができる。

### 018 ☐☐☐
平29-13-エ

建物の競売によって建物の所有権及び法定地上権を取得した者は、その建物の登記を備えていれば、その後にその土地を譲り受けた者に対し、法定地上権の取得を対抗することができる。

× **015**

例えば、不動産賃貸借では特殊性を考慮して不動産賃貸借の登記（605）、借地上の建物の登記（借地借家10）による対抗力を肯定している。

× **016**

民法に定められている物権の中にも登記できない物権がある。占有権（180）、留置権（295）、動産質権（352）、動産先取特権などである（不登3参照）。

× **017**

採石権は不動産登記法3条9号、82条に規定されており登記することができる権利である。一方、水利権は登記することができない（不登3参照）。

○ **018**

借地権は、その登記がなくても、土地の上に借地権者が登記されている建物を所有するときは、これをもって第三者に対抗することができる（借地借家10Ⅰ、大判昭8.12.23参照）。

## 019 ▢▢▢ 令2-7-ア

Aがその所有する甲土地をBに売却したものの、その旨の登記がされない間に、Bが甲土地をCに売却したときは、Cは、Aに対し、甲土地の所有権の取得を対抗することができる。

## 020 ▢▢▢ 平8-9-ウ

未成年者Aは、その所有土地をBに賃貸し、Bはその土地上に登記した建物を所有していたところ、Aは法定代理人の同意を得ないで、その土地をCに売却して所有権の移転登記をし、Cは更にその土地をDに売却して所有権移転登記をした。その後、AがAC間の土地の売買契約を未成年者であることを理由として取り消した場合であっても、DはAに土地の所有権を対抗することができる。

## 021 ▢▢▢ 令2-7-イ

成年被後見人であるAがその所有する甲土地をBに売却してその旨の登記がされ、Bが、Aが成年被後見人であることを知らないCに甲土地を売却してその旨の登記がされた後、AがBとの間の売買契約を取り消したときは、Aは、Cに対し、甲土地の所有権のAへの復帰を対抗することができない。

## 022 ▢▢▢ 平8-9-エ

未成年者Aは、その所有土地をBに賃貸し、Bはその土地上に登記した建物を所有していたところ、Aは法定代理人の同意を得ないで、その土地をCに売却して所有権の移転登記をし、Cは更にその土地をDに売却した。Cが土地をDに転売する前に、AがAC間の土地の売買契約を未成年者であることを理由として取り消した場合であっても、AC間の所有権移転登記が抹消されていないときは、AはDに土地の所有権を対抗することができない。

## ○ 019

単に土地を譲渡した前所有者にすぎないものは登記の欠缺を主張するにつき正当の利益を有するものとはいえない（最判昭39.2.13）。したがって、Cは、転々移転の前所有者Aに対して登記なくして甲土地の所有権の取得を**対抗することができる**。

## × 020

制限行為能力を理由とする取消しによって、不動産物権変動の効力は遡及的に消滅し（121）、所有権の譲渡人は、取消し以前に利害関係を有するに至った第三者に対して、**登記なくして当然に所有権を対抗できる**（大判昭10.11.14）。

## × 021

制限行為能力を理由とする取消しの場合は、詐欺に関する96条3項のような**第三者保護規定はない**（5Ⅱ・9本文・13Ⅳ・17Ⅳ参照）。

## ○ 022

法律行為の取消し後の第三者と取消権者との関係は対抗問題となる（最判昭32.6.7）。したがって、A・C間の売買契約を取り消したAは、取消し後にCから不動産を譲り受けたDに対し、登記なくして所有権の復帰を**対抗することができない**。

Aがその所有する甲建物をBに売り渡し、その旨の所有権の移転の登記をした後、Bは、甲建物をCに転売してその旨の所有権の移転の登記をした。その後、AがBの強迫を理由にAB間の売買契約を取り消した場合、Aは、Cに対し、甲建物の所有権を主張することができる。

Aが所有する土地をBに売却した場合に、AがBとの間の売買契約をBの詐欺を理由に取り消した後、AがCにこの土地を売却し、その後、Cが死亡し、Dが単独で相続したとき、Dは、登記をしていなくても、所有権の取得をAに対抗することができる。

Aはその所有の土地をBに売却し、所有権移転登記後に、Bの詐欺を理由として売却の意思表示を取り消したにもかかわらず、Bがその土地をCに転売し、その所有権移転登記をした場合でも、Aは土地の所有権をCに主張することができる。

Aは、B所有の甲不動産を買い受けたが、その旨の所有権移転登記をしていない。Cは、甲不動産をBから買い受けて占有しているが、その売買契約は、詐欺によるものとして取り消された。この場合において、Aは、Cに対し、甲不動産の所有権の取得を対抗することができる。

⭕ **023**

強迫を理由とする取消しについては、第三者保護規定はない（大判昭10.11.14参照）。

⭕ **024**

177条の「登記をしなければ対抗することができない第三者」とは、当事者及びその包括承継人以外の者で登記の欠缺を主張する正当な利益を有する者をいう（大連判明41.12.15）。本肢においては、Dは、当事者Cの包括承継人であるから、177条の「第三者」には当たらない。したがって、Dは、登記をしていなくても、所有権の取得をAに対抗することができる。

❌ **025**

取消しの相手方から取消権者及び第三者に二重譲渡がされたものとして、177条を適用する。本肢の場合、Aは登記を備えていないため、Aは土地の所有権をCに主張することはできない（121参照、大判昭17.9.30参照）。

⭕ **026**

売買契約が詐欺により取り消された場合、Cは、何らの権原なくして土地を占有する不法占拠者となるので、177条の「第三者」には当たらない（最判昭25.12.19）。したがって、Aは、登記なくしてCに対して、甲不動産の所有権の取得を対抗することができる。

甲土地が、AからB、BからCへと順次譲渡され、それぞれその旨の所有権の移転の登記がされた。その後、Aは、Bの債務不履行を理由にAB間の売買契約を解除した。この場合、Aは、Cに対し、甲土地の所有権の自己への復帰を対抗することができる。

Aが、その所有する甲土地をBに売却してその旨の登記がされた後、BがCに甲土地を売却したが、その旨の登記がされない間に、AB間の甲土地の売買契約が契約の時に遡って合意解除されたときは、Cは、Aに対して甲土地の所有権の取得を対抗することができない。

Xがその所有する土地をAに売り渡し、その旨の登記を経た後に、XA間でその売買契約を合意により解除したが、登記を抹消しないでいたところ、Aがその土地をYに売り渡し、その旨の登記を経た。この場合、Xは、Yに対して土地の所有権を主張することができる。

甲不動産を所有していたAが死亡し、B及びCがその共同相続人である。Bが甲不動産につき単独相続の登記をした上、その後これをDに売り渡して所有権移転の登記をした場合には、CはDに対して自己の持分を主張することができない。

不動産売買契約が解除される前に買主から当該不動産を譲り受けた第三者は、登記を備えている場合には保護される（大判大10.5.17）。

当事者の一方がその解除権を行使したときは、第三者の権利を害することはできない（545Ⅰ）。もっとも、この場合においても、第三者が保護されるためには、原則として登記を備えていることを要する（最判昭33.6.14）。したがって、登記を備えていないCは、Aに対して甲土地の所有権の取得を対抗することができない。

ＸＡ間の売買契約が解除されることにより、いったんＡに移転した所有権がＸに復帰的に移転するので、ＸＹ間は、あたかもＡを起点としてＡ→Ｘ、Ａ→Ｙという二重譲渡と同じ関係になる。したがって、登記のないＸはＹに土地所有権を主張することができない（最判昭35.11.29）。

Bは、Cの持分については無権利者であるから、Bのした単独相続の登記はCの相続分については実体のない無効の登記である。したがって、Cは、登記なくして自己の持分をDに対抗することができる（最判昭38.2.22）。

物 権

❷ 物権変動

## 031 □□□                                                   平25-7-オ

甲土地を所有するＡが死亡し、その子であるＢ及びＣのために相続
の開始があった場合、Ａは、甲土地について、Ｂの持分を４分の３、
Ｃの持分を４分の１として相続させる旨の遺言をしたが、Ｃが、甲
土地について、自己の持分を２分の１とする相続を原因とする所有
権の移転の登記をしたところ、Ｃの債権者であるＤが当該登記に
係るＣの持分を差し押さえた。この場合において、Ｄは、Ｂに対し、
甲土地の２分の１の持分を差し押さえた旨を主張することができ
る。

## 032 □□□                                                   平17-8-オ

甲土地の所有者Ａが死亡し、その共同相続人であるＢ及びＣは、遺
産分割協議により甲土地をＢが単独で相続することとしたが、登記
名義はＡのままであった。その後、遺産分割協議の存在を知らな
いＣの債権者Ｄは、Ｃに代位して甲土地について相続を原因とする
所有権の移転の登記をした上で、Ｃの持分（法定相続分）につい
て差押えの登記をした。この場合、Ｂは、Ｄに対し、Ｃの法定相続
分に相当する甲土地の持分の取得を対抗することができる。

## 033 □□□                                                   平25-7-ウ

甲土地を所有するＡが死亡し、その子であるＢ及びＣのために相続
の開始があった場合において、Ｂが甲土地を単独で所有する旨の
遺産分割協議が成立したが、Ｃは、Ｂに無断で、自己が甲土地を単
独で所有する旨の所有権の移転の登記をした上で、甲土地をＤに
譲渡し、その旨の所有権の移転の登記をした。この場合において、
Ｂは、Ｄに対し、甲土地を単独で所有している旨を主張することが
できる。

○ **031**

相続による権利の承継は、遺産の分割によるものかどうかにかかわらず、900条に定める法定相続分を超える部分については、登記、登録その他の対抗要件を備えなければ、第三者に対抗することができない（899の2Ⅰ）。したがって、Dは、Bに対し、甲土地の2分の1の持分を差し押さえた旨を主張することができる。

× **032**

相続による権利の承継は、遺産の分割によるものかどうかにかかわらず、法定相続分を超える部分については、対抗要件を備えなければ、第三者に対抗することができない（899の2Ⅰ）。

× **033**

相続による権利の承継は、遺産の分割によるものかどうかにかかわらず、法定相続分を超える部分については、登記、登録その他の対抗要件を備えなければ、第三者に対抗することができない（899の2Ⅰ）。

物

権

❷ 物権変動

甲不動産を所有していたＡが死亡し、Ｂ及びＣがその共同相続人である。Ｂが相続を放棄したが、その後Ｂの債権者Ｄが、Ｂに代位して甲不動産につきＢ・Ｃ共同相続の登記をした上、Ｂの持分につき差押えの登記をした場合には、Ｃは、Ｄに対して自己が単独の所有者であることを主張することができない。

Ｃはその子Ｄに遺産分割方法の指定としてＣ所有の乙土地を取得させる旨の遺言をした。この場合、Ｄは、登記をしなくても、乙土地の所有権の取得を第三者に対抗することができる。

甲土地を所有するＡが死亡し、その子であるＢ及びＣのために相続の開始があった場合において、Ａは、生前に、甲土地をＢに贈与し、その旨の所有権の移転の登記をしないまま、甲土地をＣに遺贈した。この場合において、Ｃは、甲土地について遺贈を原因とする所有権の移転の登記をしたとしても、Ｂに対し、甲土地を所有している旨を主張することができない。

Ａはその子ＢにＡ所有の甲土地を遺贈する旨の遺言をした。この場合、Ｂは、登記をしなければ、甲土地の所有権の取得を第三者に対抗することができない。

## × 034

相続の放棄をした者は、その相続に関しては、初めから相続人でなかったものとみなされる（939）。相続の放棄は、登記の有無を問わず、何人に対してもその効力を生ずる（最判昭42.1.20）。したがって、相続人Cは、債権者Dに対して、自己が単独所有者であることを主張することができる。

## × 035

遺産の分割の方法を定めた遺言によって不動産を取得した者は、第三者に対して、その法定相続分を超える部分については、登記、登録その他の対抗要件を備えなければ、第三者に対抗することができない（899の2Ⅰ）。

## × 036

被相続人が共同相続人の一部に対して生前贈与した不動産を、他の共同相続人に特定遺贈したのちに死亡した場合には、この両者は対抗関係となる（最判昭46.11.16）。したがって、Cは、甲土地について遺贈を原因とする所有権の移転の登記をすれば、Bに対し、甲土地を所有している旨を主張することができる。

## ○ 037

受遺者は、登記なくして、第三者に対して遺贈による権利取得を対抗することはできない（最判昭39.3.6）。

## 038 □□□ 平6-9-ア

Ａ所有の土地の所有権をＢが時効取得した場合、Ｂの取得時効が完成した後、ＣがＡから土地の贈与を受けたが登記をしていないときは、Ｂは、登記をしていなくても、Ｃに対し、時効により所有権を取得したことを対抗することができる。

## 039 □□□ 平6-9-オ（平26-8-ウ）

Ａ所有の土地の所有権をＢが時効取得した場合、Ｂの取得時効が完成した後、ＣがＡから土地を買い受けて登記をしたときは、Ｃの登記がされた後、引き続きＢが時効取得に必要な期間占有を続けたとしても、Ｂは、Ｃに対し、時効により所有権を取得したことを対抗することができない。

## 040 □□□ 平26-8-ア

Ａ所有の甲土地の所有権についてＢの取得時効が完成し、Ｂが当該取得時効を援用している場合に関して、当該取得時効が完成した後にＣがＡから甲土地を買い受け、その旨の所有権の移転の登記がされた場合には、Ｂは、Ｃに対し、甲土地の占有を開始した時点より後の時点を時効期間の起算点として選択し、時効完成の時期を遅らせることにより、甲土地の所有権を取得したことを主張することはできない。

## 041 □□□ 平31-8-ウ（平6-9-イ、平26-8-イ）

Ａが、Ｂの所有する甲土地の占有を継続し、取得時効が完成した後、Ｂが死亡し、Ｂの相続人であるＣが甲土地を単独で相続してその旨の登記がされたときは、Ａは、取得時効を援用しても、Ｃに対して甲土地の所有権の取得を対抗することができない。

× **038**

時効取得者は、時効完成後にその権利を原権利者から譲り受けた者に対しては、登記がなければその権利を対抗することができない（最判昭33.8.28）。

× **039**

時効取得者は、取得時効完成後に権利を取得した者に対しては、登記がなければその権利の取得を対抗することができないが、更に取得時効に必要な期間占有を継続すれば、時効による権利の取得を対抗することができる（最判昭36.7.20）。

〇 **040**

時効期間の起算点は占有開始時であり、この起算点を任意に繰り下げることは認められない（最判昭35.7.27）。

× **041**

時効取得者は、時効完成後に原所有者から所有権を取得し登記を経た第三者に対抗することができない（最判昭33.8.28）。しかし、原所有者の相続人が時効完成後に相続登記をしたとしても、その者は包括承継人であって、177条の「第三者」ではないから、時効取得者は、原所有者の相続人に対して登記なくして時効による所有権の取得を対抗することができる（大連判明41.12.15）。

## 042 □□□

CがAからA所有の甲土地を買い受けた後に、甲土地の所有権について
Bの取得時効が完成し、その後に甲土地についてAからCへの
所有権の移転の登記がされた場合には、Bは、Cに対し、時効により甲土地の所有権を取得したことを主張することはできない。

## 043 □□□

A所有の甲土地の所有権についてBの取得時効が完成し、Bが当
該取得時効を援用している場合に関して、当該取得時効が完成し
た後にCがAから甲土地を買い受け、その旨の所有権の移転の登
記がされた場合には、Bが多年にわたり甲土地を占有している事実
をCが甲土地の買受け時に認識しており、Bの登記の欠缺を主張す
ることが信義に反すると認められる事情があっても、Bは、Cに対
し、時効により甲土地の所有権を取得したことを主張することはで
きない。

## 044 □□□

A所有の甲不動産について、その所有者をBとする不実の登記が
されている。この場合において、Aから甲不動産を譲り受けたCは、
その旨の所有権移転登記をしていなくても、Bの相続人Dに対し、
甲不動産の所有権の取得を対抗することができる。

## 045 □□□

Aが、B所有の甲土地につき、売買契約を締結していないのに、書
類を偽造してAへの所有権の移転の登記をした上で、甲土地をC
に売却してその旨の登記をした場合において、その後、BがDに甲
土地を売却したときは、Dは、Cに対し、甲土地の所有権を主張す
ることができない。

## × 042

時効取得者と時効完成前の第三取得者との関係は、当事者の関係にあるから、時効取得者は、時効完成前の第三取得者に対し、たとえ時効完成後に第三取得者が登記をしても、自己の所有権の取得を登記なくして対抗することができる（最判昭42.7.21）。

## × 043

A所有の不動産をBが時効取得した後、Aから当該不動産の譲渡を受けて所有権移転登記をしたCが、Bの多年にわたる占有の事実を認識しており、Bの登記の欠缺を主張することが信義に反する事情があるときは、Cは背信的悪意者に当たる（最判平18.1.17）。したがって、Bは、Cに対し、時効により甲土地の所有権を取得したことを主張することができる。

## ○ 044

登記記録上、所有者として表示されているにすぎない架空の権利者は177条の「第三者」に当たらない（最判昭34.2.12）。したがって、Cは、登記なくして架空の権利者B及びその包括承継人Dに対して、甲不動産の取得を対抗することができる。

## × 045

不動産について実体上所有権を取得した者は、登記記録上、所有者として表示されているにすぎない無権利者、無権利者から物権を取得した者等に対し、その所有権の取得を登記なくして対抗することができる（最判昭34.2.12）。

Aが、Bの所有する甲土地に抵当権の設定を受け、その旨の登記がされたが、Bの虚偽の申請によってその登記が不法に抹消され、その後、Bが甲土地をCに売却したときは、Aは、Cに対して抵当権の取得を対抗することができない。

Aが、その所有する甲土地をBに売却したものの、その旨の登記がされない間に、Aが甲土地をCに売却してその旨の登記がされ、その後、CがAに甲土地を売却してその旨の登記がされたときは、Bは、Aに対して甲土地の所有権の取得を対抗することができない。

AとBとが通謀して、A所有の甲土地の売買契約を仮装し、Bへの所有権の移転の登記をした後、善意のCがBから甲土地を譲り受けたという事例において、Cが登記をする前に、AがDに甲土地を譲渡していた場合は、BとDとは対抗関係に立つが、BがDよりも先に自己への所有権の移転の登記を経由したことでBがDに優先することになり、Bから甲土地を譲り受けた善意のCは、登記なくしてDに対して甲土地の所有権の取得を対抗することができる。

Aが所有する建物について、Bが、Aに対して有する債権を被担保債権とする抵当権の設定を受けてその登記をした後、Cが当該建物を賃借した場合において、競売手続の開始前からCが建物の引渡しを受けてこれを使用していた場合には、Cは、賃借権設定の登記をしていなくても、その賃借権を抵当権を有するBに対抗することができる。

**✕ 046**

登記は物権の対抗力発生の要件であって、この対抗力は法律上消滅事由の発生しない限り消滅するものではないから、抵当権設定登記が抵当権者不知の間に不法に抹消された場合には、抵当権者は対抗力を喪失するものではない（最判昭36.6.16）。

**✕ 047**

A単独所有の不動産がBに譲渡され、その旨の登記がされない間に、Cを経てAに譲渡された場合、Aが所有権取得登記を経由しても、Bは、登記なくしてAに対し当該土地の所有権取得を対抗することができる（最判昭42.10.31参照）。

**✕ 048**

Cは、虚偽表示の当事者であるAに対しては、登記なくして甲土地の所有権を対抗することができるが、Cが登記をする前にAがDに対してさらに甲土地を譲渡した場合には、CとDとは、Aを起点としたA→B→CとA→Dの対抗関係（177）となり、登記の先後によって優劣が決定され、Cは登記なくして甲土地の所有権をDに対抗することはできない（最判昭42.10.31）。

**✕ 049**

建物の賃貸借は、その登記がなくても、建物の引渡しがあった場合は、後にその建物について物権を取得した者に対しその効力を生ずる（借地借家31）が、Bは、Cが賃貸建物の引渡しを受けて対抗力を得る前にAから抵当権の設定を受けているので、Cはその賃借権をBに対抗することはできない。

Aが所有する土地をBに売却した場合に、CがAからその土地を賃借していたときは、Bは、登記をしなければ、Cに対して賃貸人たる地位を主張することができない。

Aがその所有する土地をXに売り渡したが、その旨の登記を経ないまま死亡したところ、その後Aの相続人がこれをYに売り渡し、その旨の登記を経た。この場合、Xは、Yに対して土地の所有権を主張することができる。

Yがその所有する土地をAに売り渡したが、その旨の登記を経ないでいたところ、Aがその土地をXに転売した。この場合、Xは、Yに対して土地の所有権を主張することができる。

Aはその所有する甲土地をBに売り渡したが、その旨の所有権の移転の登記がされない間に、AがCと通謀して甲土地をCに売り渡した旨を仮装し、AからCへの所有権の移転の登記がされた。その後、Cが死亡してその相続人であるDがCの財産を単独で相続し、CからDへの所有権の移転の登記がされた場合には、Bは、Dに対し、甲土地の所有権を主張することができる。

○ **050**

賃貸不動産の所有権移転について未登記の譲受人は、賃貸人として
の地位を賃借人に主張することができない（605の2Ⅲ）。

× **051**

売主の相続人は、売主としての地位を承継し、売主と法律上同一
の地位にあるといえるから、売主からの譲受人と売主の相続人か
らの譲受人は、二重譲渡がされた場合の譲受人と同視でき、対抗
関係に立つ（最判昭33.10.14）。したがって、XとYは対抗関係
に立ち、登記がない以上、XはYに土地所有権を主張することが
できない。

○ **052**

本肢において土地所有権は、Y→A→Xと移転しており、YとX
は物権変動の当事者の地位にあり、物的支配を相争う関係にはな
いから、XはYに対して登記なくして土地所有権を主張すること
ができる（最判昭39.2.13）。

○ **053**

ＡＣ間の売買契約は仮装で無効であるからＣは無権利者であり、
その相続人であるＤも無権利者である。また、包括承継人である
Ｄは94条2項の「第三者」として保護されることもない。したがっ
て、Ｂは、Ｄに対し、甲土地の所有権を主張することができる（最
判昭42.6.29参照）。

ＸがＹから甲土地に関して所有権の移転を受けたが登記未了の場合において、ＺがＹに対する貸金債権回収のため、甲土地を正当な権原なしに占有している場合は、Ｚは、Ｘの「登記の欠缺を主張するにつき正当な利益を有する第三者」に該当する。

賃貸借の目的である甲建物の所有者Ａからその所有権を譲り受け、賃貸人の地位の移転を受けたＢと甲建物の賃借人Ｃとの間で賃貸借契約が合意解除された場合において、Ｂから甲建物の明渡しを求められたＣは、Ｂが甲建物の所有権の移転の登記をしていないことを理由として、甲建物の明渡しを拒むことができる。

Ａが所有する土地をＢに売却した場合、ＡからＢへの所有権の移転の登記を申請すべき義務を負っているＣがＡからその土地について地上権の設定を受けたときは、Ｂは、先に登記をしなければ、所有権の取得をＣに対抗することができない。

Ａが甲土地の所有者であるＢから建物の所有を目的とする地上権の設定を受けた後、甲土地上に乙建物を築造し、所有権の保存の登記をした場合において、Ｃが乙建物を地上権と共にＡから買い受け、乙建物の所有権の移転の登記をしたときでも、Ｃは、地上権の登記をしていなければ、甲土地をＢから買い受けたＤに地上権を対抗することができない。

✕ **054**

Zは甲土地の不法占拠者であり、甲土地につき無権利者であるから、Xは登記なくしてZに対抗することができる（最判昭25.12.19）。

✕ **055**

無権原で他人の不動産を占有する者は、177条にいう第三者に該当せず、所有権者は、不法占有者に対して登記がなくても所有権の取得を対抗することができる（最判昭25.12.19）。本肢においては、賃貸借契約の合意解除により、Cは無権原で他人の不動産を占有する者となるので、Bが甲建物の所有権の移転の登記をしていないことを理由として甲建物の明渡しを拒むことができない。

✕ **056**

他人のために登記を申請する義務を負う第三者は、その登記がないことを主張することができない（不登5Ⅱ本文）。したがって、Bは先に登記をしなくても、所有権の取得をCに対抗することができる。

✕ **057**

借地権は、その登記がなくても、土地の上に借地権者が登記されている建物を所有するときは、これをもって第三者に対抗することができる（借地借家10Ⅰ）。したがって、Cは建物の所有権移転の登記を備えているため、地上権移転の登記をしていなくとも、甲土地を買い受けたDに対抗することができる。

Aは、その所有する甲不動産をBに譲渡した後、背信的悪意者Cに二重に譲渡して所有権移転登記をした。その後、Cは、甲不動産を背信的悪意者でないDに譲渡し、所有権移転登記をした。この場合において、Bは、Dに対し、甲不動産の所有権の取得を対抗することができる。

Aの所有する甲土地を承役地とし、Bの所有する乙土地を要役地とする通行地役権が設定されたが、その旨の登記がされない間に甲土地がCに譲渡された。この場合において、譲渡の時に、甲土地がBによって継続的に通路として使用されていることがその位置、形状、構造等の物理的状況から客観的に明らかであり、かつ、Cがそのことを認識していたときであっても、Cが通行地役権が設定されていることを知らなかったときは、Bは、Cに対し、通行地役権を主張することができない。

Aはその所有する未登記の甲建物をBに売り渡したが、その旨の所有権の移転の登記がされない間に、Aが甲建物についてA名義で所有権の保存の登記をし、Cを抵当権者とする抵当権を設定してその旨の登記をした場合には、Cは、Bに対し、甲建物の抵当権を主張することができない。

## ✕ 058

背信的悪意者からの転得者は、第1の買主に対する関係で転得者自身が背信的悪意者と評価されない限り、177条の「第三者」に当たる（最判平8.10.29）。したがって、BはDに甲不動産の所有権の取得を対抗することができない。

## ✕ 059

通行地役権の承役地が譲渡された場合において、譲渡の時に、当該承役地が要役地所有者によって継続的に通路として使用されていることがその位置、形状、構造などの物理的状況から客観的に明らかであり、かつ、譲受人がそのことを認識していたか又は認識することが可能であったときは、譲受人は、通行地役権が設定されていることを知らない場合であっても、特段の事情がない限り、地役権設定登記の欠缺を主張するについて正当な利益を有する177条の第三者に該当しない（最判平10.2.13）。

## ✕ 060

未登記の不動産の買受人が、その所有権移転の登記をしない間に、売主が自己名義で当該不動産に所有権保存登記をし、更に第三者のために抵当権を設定したときは、当該抵当権者は、177条の第三者に該当する（大判昭7.5.27）。したがって、Cは、Bに対し、甲建物の抵当権を主張することができる。

Aが死亡した当時、Aには、亡妻との間の子であるB及びCがいたが、他に親族はいなかった。Aが死亡した後、B及びCは、遺産分割協議において、BがAの遺産である甲土地の所有権を取得することに合意した。その後、Cは、Dに対し、甲土地の2分の1の持分を売却し、その旨の所有権の移転の登記をした。この場合に、Bは、Dに対し、登記なくして甲土地全部の所有権の取得を対抗することができる。

## 動産物権変動

Aの所有する甲動産を買い受け、引渡しを受けたBが、債務不履行を理由にその売買契約を解除されたが、Aに甲動産の引渡しをしないまま、これをCに売却し、Cに現実の引渡しをした場合には、Cは、Bが所有者であると信じ、かつ、そう信じるにつき過失のないときに限り、甲動産の所有権を取得することができる。

Aがその所有する動産甲をBに寄託している場合において、Aが甲をCに譲渡した。Bは、民法第178条にいう「第三者」に当たらないから、Cは、指図による占有移転により甲の引渡しを受けていなくても、Bに対し、甲の引渡しを請求することができる。

## × 061

相続による権利の承継は、遺産の分割によるものかどうかにかかわらず、法定相続分を超える部分については、登記、登録その他の対抗要件を備えなければ、第三者に対抗することができない（899の2 I）。

## × 062

動産がAからBへ譲渡され、AB間の契約解除後に当該動産がCに譲渡された場合、AとCの関係は引渡しの前後によって決する（178）。したがって、Aに先立って甲動産の現実の引渡しを得ているCは、Bが所有者であると、過失なく信じた場合でなくとも甲動産の所有権を取得することができる。

## ○ 063

動産の所有者である寄託者から所有権の移転を受けた者が、受寄者に対し当該動産の引渡しを請求するために対抗要件を備えていることを要しない（最判昭29.8.31）。

## 064 ☐☐☐                                    平23-8-イ

Aが所有する動産甲をBに賃貸している場合において、Aが甲をC
に譲渡した。Bは、民法第178条にいう「第三者」に当たらない
から、Cは、指図による占有移転により甲の引渡しを受けていなく
ても、Bに対し、甲の引渡しを請求することができる。

## 065 ☐☐☐                                    平23-8-エ

Aが所有する動産甲をBに寄託している場合において、Aが、甲を
Cに譲渡し、さらに、Dにも甲を譲渡した。その後、Cが指図によ
る占有移転により甲の引渡しを受け、次いで、Dが動産及び債権の
譲渡の対抗要件に関する民法の特例等に関する法律に基づき、甲
についての譲渡の登記をした。同法に基づく登記には、引渡しに対
する優先的効力が認められているから、この場合には、Dが甲の所
有権を取得することになる。

## 066 ☐☐☐                                    平27-8-ウ

Aが、その所有する動産甲をBに寄託した後、Cに動産甲を譲渡し、
Cが指図による占有移転によって引渡しを受けた場合であっても、
その後、Aが無権利者であることについて善意無過失のDがAから
動産甲を譲り受け、指図による占有移転によって引渡しを受けたと
きは、Dは、Cに対し、動産甲の所有権を主張することができる。

## 067 ☐☐☐                                    平27-8-エ

Aがその所有する動産甲をBに賃貸し、引き渡した後、AがCに動
産甲を譲渡した場合、Cは、引渡しを受けていなくても、Bに対し、
動産甲の所有権を主張することができる。

✕ **064**

賃貸借の目的物である動産について、賃貸人から所有権の移転を受けた者が、賃借人に対し当該動産の引渡しを請求するためには対抗要件を備えることが必要である（大判大4.2.2、大判大8.10.16）。

✕ **065**

法人による動産譲渡につき動産譲渡登記がされた場合、178条の引渡しがあったものとみなされる（動産債権譲渡特例3Ⅰ）。この点、この動産譲渡登記の対抗力は引渡しと同レベルであり、民法上の対抗要件を排除しているわけではないため、法人による動産譲渡においては、対抗要件として動産譲渡登記と引渡しが並存し、その優劣は具備の先後で決する。

◯ **066**

指図による占有移転によって占有を取得した場合には、即時取得の規定の適用がある（通説、最判昭57.9.7参照）。したがって、Dは、Aが無権利者であることについて善意無過失で動産甲を譲り受け、指図による占有移転によって引渡しを受けた場合、動産甲を即時取得するため、Dは、Cに対し、動産甲の所有権を主張することができる。

✕ **067**

動産の賃借人は、178条の「第三者」に該当し、所有権の譲受人に対し引渡しの欠缺を主張する正当の利益を有する（大判大8.10.16）。したがって、Cは、引渡しを受けていなければ、Bに対し、動産甲の所有権を主張することができない。

Aが、倉庫に寄託中のA所有の動産甲を、約定日時までに代金を支払わないときは契約が失効する旨の解除条件付きでBに売却した場合には、Bは、売買契約が締結された時点で動産甲の所有権を当然に取得する。

A、B及びCが各3分の1の持分の割合で甲建物を共有している場合に関して、Aが、自己の持分を放棄した後、当該持分をDに譲渡した場合には、B及びCは、当該放棄に係る持分の移転の登記をしなければ、Dに対し、持分の取得を対抗することができない。

AとBとが甲不動産を共有していたところ、Aは、その共有持分をCに譲渡したが、その旨の持分移転登記をしていない。この場合、Cは、Bに対し、甲不動産の共有持分の取得を対抗することができる。

## 即時取得

Aの所有する未登録の乙自動車を保管しているBが、乙自動車を自己の所有物であると偽ってCに売却し、現実の引渡しをした場合には、Cは、Bが所有者であると信じ、かつ、そう信じるにつき過失がないときであっても、乙自動車を即時取得することはできない。

**✕ 068**

倉庫に寄託した動産の売買契約において、特約により、指定の日時までに代金を支払わないときは契約が当然に失効するという解除条件が付されていた場合は、特段の事情が認められない限り、目的物の所有権は売買契約により当然に買主に移転することはない（最判昭35.3.22）。

**○ 069**

共有者の一人が、その持分を放棄したとき、又は死亡して相続人がないときは、その持分は、他の共有者に帰属する（255）。そして、他の共有者は、その持分取得につき登記を備えなければ第三者に対抗することができない。

**✕ 070**

不動産の共有者の一員が自己の持分を譲渡した場合における譲受人以外の他の共有者は、177条の「第三者」に当たる（最判昭46.6.18）。持分移転登記をしていない譲受人Cは、他の共有者であるBに共有持分の取得を対抗することはできない。

**✕ 071**

即時取得は、動産を対象とするが、動産であっても自動車、船舶のように登録制度により公示方法が具備されている物については成立しない（最判昭62.4.24等）。他方、自動車であっても未登録の自動車については即時取得が成立し得る（最判昭45.12.4）。

## 072 ☐☐☐

他人の山林を自分の山林であると誤信して立木を伐採した場合、取引行為によらずに立木の占有を開始した場合なので、即時取得は成立しない。

## 073 ☐☐☐

無権利者から善意無過失で山林を買い受けた後、その山林の立木を伐採した場合は、取引行為によって立木の占有を開始した場合と同視することができるので、即時取得が成立する。

## 074 ☐☐☐

所有者でない者が伐採した立木をその者から譲り受けた場合には、即時取得は認められない。

## 075 ☐☐☐

無権利者から代物弁済によって動産の譲渡を受けた場合、代物弁済は、弁済と同一の効力を生ずるものであり、取引行為ではないので、即時取得は成立しない。

## 076 ☐☐☐

強制競売により、債務者の所有に属さない動産を取得した場合には、即時取得は認められない。

## ○ 072

即時取得（192）は、前主の占有を信頼して動産取引をした場合に、その信頼を保護する制度であるから、その成立のためには、有効な取引行為によって占有を取得することが必要である。

## × 073

判例は、伐採前の立木のままで所有者でない者から譲り受けて自ら伐採した場合には、即時取得は成立しないと解している（大判明35.10.14）。

## × 074

本肢のように所有者でない者が伐採した立木を譲り受けた場合には、動産を譲り受けているので、即時取得が成立する。

## × 075

即時取得（192）が成立するためには、有効な取引行為によって占有を取得することが必要であり、この取引行為には、売買、贈与のほか、債務者に属しない物による弁済（大判大元.10.2）、代物弁済（大判昭5.5.10）なども含まれる。

## × 076

強制競売による買受けは、前主の意思に基づかずにされるものであり、当然には取引行為によるものとはいえない。しかし判例は、執行債務者の所有に属さない動産が強制執行に付された場合にも、競落人は本条によって所有権を取得できる（最判昭42.5.30）ものとしている。

占有の取得が簡易の引渡しによる場合には、即時取得は認められない。

動産質権者が質権の目的である動産を自己の所有物と偽って売却し、これを引き渡した場合において、その買主が、所有者でない者から売却を受けたことを知っていたときは、その買主は、その動産について、所有権を取得することはできず、質権を取得するにすぎない。

AからA所有のデジタルカメラ甲を賃借していたCが死亡し、その相続人Bは、その相続によって甲の占有を取得した。この場合において、Bは、Cが甲に関し無権利者であったことについて善意無過失であるときは、甲を即時取得する。

本人の代理人から動産を買い受けたところ、本人がその動産の所有者でなかった場合は、無権利者から買い受けた場合にあたるので、善意無過失であるときは、即時取得が成立する。

## × 077

判例は、占有改定（183）については即時取得の成立を否定しつ
つ（最判昭35.2.11）、指図による占有移転（184）については
肯定している（最判昭57.9.7）。これに対して、本肢のような簡
易の引渡しについては、占有改定等の場合とは異なり、現実の占
有取得が伴っているので、即時取得の成立を認めるのが判例の趣
旨と考えられる。

## × 078

動産の買主が、動産質権の目的物であることについて悪意である
場合、動産の所有権を即時取得（192）することはない。また、
買主は、売主が所有権者でないことを知っており、質権の設定を
受ける目的で契約をしているとは考えられないため、質権も取得
しない。

## × 079

即時取得制度は、動産取引の安全を図るものである以上、取引に
よる動産取得の場合に限られる（192）。そのため、相続による
取得のように法律上当然に取得の効果が発生する場合は、即時取
得の適用がない。

## ○ 080

即時取得（192）が成立するには、前主が無権利者であることが
必要であり、代理人が介在した場合における前主は効果帰属主体
である本人（99 I）であるから、本人が無権利者であればこの
要件を満たす。

## 081 ▢▢▢　　　　　　　　　　　　平30-8-ウ（平9-15-イ）

Aが、未成年者であるBから、Bの所有する動産甲を買い受けて現実の引渡しを受けた場合において、Bが未成年者であることについて善意無過失であるときは、Bがその売買契約を取り消したときであっても、Aは動産甲を即時取得する。

## 082 ▢▢▢　　　　　　　　　　　　平17-9-ア（平25-8-5）

Aの所有する甲動産を保管しているBが、Aから依頼を受けたAの代理人であると偽って甲動産をCに売却し、現実の引渡しをした場合には、Cは、Bが所有者Aの代理人であると信じ、かつ、そう信じるにつき過失がないときであっても、甲動産を即時取得することはできない。

## 083 ▢▢▢　　　　　　　　　　　　平31-9-エ（平17-9-ウ）

Aは、Bが所有者Cに無断でBの画廊に展示していた甲絵画を、Bの所有物であると過失なく信じて購入した。この場合において、Bが以後Aのために甲絵画を保管する意思を表示したときは、Aは甲絵画を即時取得する。

## 084 ▢▢▢　　　　　　　　　　　　平16-13-オ（平23-8-オ）

AがBに対して甲動産を貸し渡している場合において、Aは、Gに甲動産を譲渡し、Bに対し、以後Gのために甲動産を占有すべき旨を命じた。甲動産は、Aが他人から預かっていたものであった。この場合には、Gは、甲動産がAの所有物であると誤信し、そのことにつき無過失であれば、甲動産の所有権を取得する。

## × 081

行為能力の制限・錯誤・強迫等の理由によって取引行為自体が取り消された場合には、即時取得制度（192）の適用はない。

## ○ 082

即時取得は、取引の安全を保護する趣旨のものであるので、取引行為自体は有効なものであることを要し、行為能力の制限や代理権の不存在など、取引行為自体に瑕疵がある場合には成立しない。

## × 083

即時取得の要件としての192条の「占有を始めた」は、占有改定による占有取得では足りず、占有改定では即時取得は認められない（最判昭35.2.11）。

## ○ 084

指図による占有移転（184）により占有を取得した場合であっても、即時取得は成立する（最判昭57.9.7）。

Ａが、Ｂの所有する動産甲を無権利のＣから買い受けて現実の引
渡しを受けた場合において、即時取得を主張するためには、自己
に過失がなかったことを立証しなければならない。

Ａ株式会社の代表取締役Ｂから代理権を与えられたＣが、Ａのた
めにすることを示して動産甲を無権利のＤから買い受けて現実の
引渡しを受けた場合において、Ｄが無権利者であることにつきＢは
善意無過失であるが、Ｃは善意有過失であるときは、Ａは動産甲
を即時取得することはできない。

Ａに対して金銭債務を負担するＢが、当該金銭債務を担保するた
めに、他人の所有する動産甲につき無権利で質権を設定してＡに
現実の引渡しをした場合において、Ａが、Ｂが無権利者であること
につき善意無過失であるときは、Ａは動産甲について質権を即時
取得する。

Ａがその所有する動産甲をＢに貸していたところ、Ｂの家から動産
甲を盗んだＣが、自己の所有物であると偽って、Ｃが無権利者であ
ることについて善意無過失のＤに動産甲を売り渡した場合には、Ｂ
は、盗難の時から２年以内であれば、Ｄに対して動産甲の返還を請
求することができる。

**×** **085**

即時取得の場合には、占有取得者は無過失であると推定されるため、占有者は、無過失を立証する必要はない（最判昭41.6.9）。

**○** **086**

192条における善意無過失の有無は、法人については、第１次的にはその代表機関について決すべきであるが、その代表機関が代理人により取引をしたときは、その代理人について判断するべきである（101Ⅰ参照、最判昭47.11.21）。

**○** **087**

取引行為によって、平穏に、かつ、公然と動産の占有を始めた者は、善意であり、かつ、過失がないときは、即時にその動産について行使する権利を取得する（192）。この点、即時取得される権利は、所有権のほか、質権もその対象となる。

**○** **088**

即時取得（192）の要件が満たされる場合において、占有物が盗品又は遺失物であるときは、被害者又は遺失者は、盗難又は遺失の時から２年間、占有者に対してその物の回復を請求することができる（193）。ここにいう、被害者又は遺失者とは、不任意に占有を失った者を意味し、所有権者であることまでは必要としていない（大判大10.7.8）。

物　権

❷　物権変動

## 089 □□□

AからAの所有する動産甲を詐取したBが、自己の所有物であると偽って、Bが無権利者であることについて善意無過失のCに動産甲を売り渡した場合には、Aは、詐取された時から2年以内であれば、Cに対して動産甲の返還を請求することができる。

## 090 □□□

Aの家からAの所有する動産甲を盗んだBが、自己の所有物であると偽って、Bが無権利者であることについて善意無過失のCに代物弁済により動産甲を引き渡した場合には、Aは、盗難の時から2年を経過した後であっても、Cに対して動産甲の返還を請求することができる。

## 091 □□□

Aの家からAの所有する動産甲を盗んだBが、自己の所有物であると偽って、公の市場において、Bが無権利者であることについて善意無過失のCに動産甲を売り渡した場合において、AがCに対して動産甲の返還を請求する前に動産甲が滅失したときは、Aは、盗難の時から2年以内であれば、Cに対して動産甲の回復に代わる賠償を請求することができる。

## ✕ 089

即時取得（192）の要件が満たされる場合において、占有物が盗品又は遺失物であるときは、被害者又は遺失者は、盗難又は遺失の時から2年間、占有者に対してその物の回復を請求することができる（193）。この点、**詐取されたものは、盗品又は遺失物には当たらないため、本条の適用はない**（大判明35.11.1）。

## ✕ 090

即時取得（192）の要件が満たされる場合において、占有物が盗品又は遺失物であるときは、被害者又は遺失者は、盗難又は遺失の時から2年間、占有者に対してその物の回復を請求することができる（193）。この点、代物弁済は、192条にいう取引行為に含まれるため（大判昭5.5.10）、193条の適用がある。本肢は盗難の時から2年を経過しているため、請求することができない。

## ✕ 091

194条により被害者又は遺失者が占有物を回復するには、その物が現存することを前提とし、回復請求をする前に物が滅失した場合、被害者又は遺失者は、回復請求をすることができず、回復に代わる賠償を請求することもできない（最判昭26.11.27）。

## 092 □□□ 平28-8-オ

Aの家からAの所有する動産甲を盗んだBが、自己の所有物であると偽って、公の市場において、Bが無権利者であることについて善意無過失のCに動産甲を売り渡した場合には、AがCに対して盗難の時から2年以内に動産甲の返還を請求し、Cが動産甲をAに返還した後であっても、Cは、Aに対して、CがBに支払った代価の弁償を請求することができる。

## 093 □□□ 平31-9-イ

A所有の甲時計が盗まれ、その事実について善意無過失のBが、公の市場において甲時計を買い受けた。この場合において、Bは、Aから甲時計の回復を求められたとしても、代価の弁償の提供があるまで、甲時計を無償で使用する権限を有する。

## 明認方法

## 094 □□□ 平4-17-イ（平21-9-ウ）

AがBに「立木ニ関スル法律」の適用のない立木とともに土地を売り渡し、Bは立木のみに明認方法を施した。その後、AがCに立木所有権を含むものとして土地を売り渡し、移転登記を了した場合には、BはCに立木の所有権を対抗できない。

○ **092**

盗品の占有者が194条に基づいて盗品の引渡しを拒否することができる場合に、被害者が代価を弁償して盗品を回復することを選択したときは、当該占有者がその物を被害者に返還した後であっても、当該占有者は、代価の弁償を請求することができる（最判平12.6.27）。

○ **093**

盗品又は遺失物の被害者又は遺失者が盗品等の占有者に対してその物の回復を求めたのに対し、占有者が民法194条に基づき支払った代価の弁償があるまで盗品等の引渡しを拒むことができる場合には、占有者は、その弁償の提供があるまで盗品等の使用収益を行う権限を有する（最判平12.6.27）。

○ **094**

土地とともにする立木の譲渡の対抗関係は、土地の所有権移転登記によって決せられる。したがって、Aから立木とともに土地を譲り受けたBが、立木のみに明認方法を施しても、所有権移転登記を具備していない以上、第三者に対抗することができず、BはCに立木の所有権を対抗することができない。

**095** ☐☐☐ 　　　　　　平4-17-エ（平12-13-ウ、平21-9-オ、令3-8-イ）

Aが「立木ニ関スル法律」の適用のない立木の所有権を留保して土地のみをBに譲渡したが、立木につき明認方法を施さないでいるうちに、BがCに土地とともに立木を売り渡し、Cへの所有権移転登記がされた場合には、AはCに対して立木所有権を主張することができない。

**096** ☐☐☐ 　　　　　　　　　　　　平31-8-ア（平4-17-オ、平21-9-ア）

Aが、Bの所有する甲土地上の立木を購入し、立木に明認方法を施したが、その後、その明認方法が消失した場合において、Bが甲土地をCに売却したときは、Aは、Cに対して立木の所有権の取得を対抗することができない。

**097** ☐☐☐ 　　　　　　　　　　　　　　　　　　　平21-9-イ

Aは、A所有の立木をBに仮装譲渡し、Bは、当該立木に明認方法を施した。その後、AがCに当該立木を譲渡した場合、Cは、明認方法を施さなくても、Bに対し、当該立木の所有権を主張することができる。

**098** ☐☐☐ 　　　　　　　　　　　　　　　　　　　平21-9-エ

A所有の土地をBが自己所有の土地と誤信して立木を植栽していたところ、Cが当該立木を伐採して伐木を持ち出した場合には、Aは、Cに対し、当該伐木の所有権を主張することができる。

# 公式 SNS

最新情報を
キャッチ!

LEC司法書士公式アカウントでは、
最新の司法書士試験情報やお知らせ、イベント情報など、
司法書士試験に関する様々なお役立ちコンテンツを発信していきます。
ぜひチャンネル登録＆フォローをよろしくお願いします。

● 公式 X (旧Twitter)
**https://twitter.com/LECshihoushoshi** ▶

● 公式 YouTube チャンネル
**https://www.youtube.com/@LEC-shoshi** ▶

● Note
**https://note.com/lec_shoshi** ▶

○ **095**

判例は本肢の事例において、Aの立木の明認方法とCの所有権移転登記の先後によって立木所有権の帰属を決めるとしている（最判昭34.8.7）。したがって、明認方法を施していないAは、Cに対して立木所有権を対抗することができない。

○ **096**

権利変動時にいったん明認方法が行われたとしても、第三者が利害関係を取得した当時、消失その他の事由で公示としての働きをしなくなっている場合は、明認方法があるとして当該第三者に対抗することはできない（最判昭36.5.4）。

○ **097**

無権利者に対しては、明認方法を施すことなく立木所有権を主張することができる（大判大8.10.3）。

○ **098**

Bは無権限で土地に立木を植栽しているため、立木は土地に付合し、当該立木は土地所有者Aの所有に属することとなる。また、Cは、立木を伐採して伐木を持ち出しており、取引行為によって占有を開始していないため、当該伐木を即時取得することはできない（大判明35.10.14）。したがって、Cが立木を伐採して伐木を持ち出した場合、Aは、Cに対し、当該伐木の所有権を主張することができる。

## 物権の消滅

BがAの所有する土地に地上権の設定を受け、その地上権にCの
ために抵当権を設定した場合において、BがAからその土地を買い
受けたときは、地上権は、消滅しない。

Aが所有する甲土地について、Bが地上権の設定を受けた後、C
がBの地上権を目的とする抵当権の設定を受けた場合において、C
がBを単独で相続したときは、Cの抵当権は消滅する。

Aが自己所有地についてBのために1番抵当権を設定した後、Cの
ために2番抵当権を設定した場合、BがAからその土地の所有権
を譲り受けても、1番抵当権は消滅しない。

AがBに対する債権を担保するためにB所有の土地に1番抵当権の
設定を受け、Cがその土地の上に2番抵当権の設定を受けた場合
において、AがBを単独で相続したときは、Aの抵当権は消滅しな
い。

Aが自己所有地についてBのために1番抵当権を設定した後、Cの
ために2番抵当権を設定した場合、CがAからその土地の所有権
を譲り受けても、2番抵当権は消滅しない。

## ○ 099

同一物について所有権及び他の物権が同一人に帰属した場合、その物権は混同により消滅するのが原則である（179Ⅰ本文）が、その物又はその物権が第三者の権利の目的であるときは、混同の例外として、権利消滅の効果は生じない（179Ⅰ但書）。

## ○ 100

所有権以外の物権及びこれを目的とする他の権利が同一人に帰属したときは、当該他の権利は、消滅する（179Ⅱ前段）。したがって、Cの抵当権は消滅する。

## ○ 101

混同によるBの1番抵当権の消滅を認めると、劣位する第三者Cの2番抵当権が1番抵当権となり、Bの1番抵当権者としての優先弁済の利益を害するから、BがAから本件土地の所有権を譲り受けても、1番抵当権は消滅しない（179Ⅰ参照、大判昭8.3.18）。

## ✕ 102

債権者が債務者を相続するなどして被担保債権が混同（520）により消滅した場合には、Aの抵当権は付従性により絶対的に消滅する。

## ✕ 103

2番抵当権者Cが本件土地の所有権を取得し、Cより劣後する後順位抵当権者がいない場合には、Cの2番抵当権を存続させる価値がないので混同を生じる（大判昭4.1.30）。

Ａが所有する甲土地について、Ｂが抵当権の設定を受けた後、その抵当権をＣの転抵当権の目的とした場合において、ＢがＡから甲土地を買い受けてその所有権を取得しても、Ｂの原抵当権は消滅しない。

Ａが自己所有地を建物所有目的でＢに賃貸し、Ｂが対抗要件を具備した後、その土地についてＣのために抵当権を設定した場合、ＢがＡからその土地の所有権を譲り受けても、賃借権は消滅しない。

Ａがその所有する土地を建物所有目的でＢに賃貸し、Ｂがその土地上に建物を所有する場合において、Ａ及びＣがＢからその建物を買い受けたときは、賃借権は、消滅する。

Ａが所有する甲建物を賃借して引渡しを受けたＢが、Ａから甲建物を買い受けたが、所有権の移転の登記をする前に、ＣがＡから甲建物を買い受けて所有権の移転の登記をしたときは、Ｂは、Ｃに対して賃借権を主張することができない。

○ **104**

同一物について所有権及び他の物権が同一人に帰属したときは、当該他の物権は、消滅する（179Ⅰ本文）。ただし、その物又は当該他の物権が第三者の権利の目的であるときは、当該他の物権は消滅しない（179Ⅰ但書）。したがって、BがAから甲土地を買い受けたことにより、甲土地について所有権及び抵当権が同一人に帰属することとなるが、Bの抵当権はCの転抵当権の目的となっているため、Bの原抵当権は消滅しない。

○ **105**

特定の土地につき所有権と賃借権が同一人に帰した場合であっても、その賃借権が対抗要件を具備したものであり、かつ、対抗要件を具備した後にその土地につき抵当権が設定されていたときは、179条1項ただし書が準用される（最判昭46.10.14）。したがって、BがAから本件土地の所有権を譲り受けても、Bの賃借権は消滅しない。

× **106**

借地権（建物所有目的の地上権・賃借権）が借地権設定者に帰属した場合、当該賃借権は混同により消滅するのが原則である（179Ⅰ）。ただし、その場合であっても、借地権設定者が他の者とともにその借地権を有するときは、借地権は消滅しない（借地借家15Ⅱ）。

× **107**

本肢の事案では、いったん混同によって消滅した賃借権は、当該第三者の所有権取得によって、同人に対する関係では消滅しなかったこととなる（最判昭40.12.21）。

Ａが所有する甲土地について、Ｂ及びＣが地上権の設定を受けて地上権を準共有している場合において、ＢがＡから甲土地を買い受けてその所有権を取得したときは、Ｂの地上権は消滅する。

地上権の準共有者の一方が目的物たる土地を譲り受けたとして
も、共有持分は混同の例外として消滅しない（179 I 但書）。

# ❸ 占有権

## 総説

109 □□□ 　　　　　　　　　　　　　　　平3-2-1

農地の賃借人が農地を買い受け、代金の支払も完了している場合でも、農地法の許可が得られないときには自主占有を取得することができない。

110 □□□ 　　　　　　　　　　　　　　　平3-2-2

土地の買主が、その土地の引渡しを受けた場合でも、それが他人所有の物であるとの事実を知っていれば、自主占有を取得しない。

111 □□□ 　　　　　　　　　　平3-2-3（令2-8-ウ）

所有者から、土地を解除条件付で買い受け、引渡しも終了している場合、後に条件が成就すれば、買主は所有権と自主占有権を失う。

112 □□□ 　　　　　　　　　　　　　　　平3-2-5

土地の所有者が死亡して相続が開始した場合、相続人が当該不動産が相続財産に属することを知らないときでも、自主占有を取得する。

× **109**

賃借人が賃借物を買い取った場合には、「新たな権原による占有」に該当し、農地法による許可を得ていなくても、賃借人の他主占有はその時から自主占有に変ずる（最判昭52.3.3）。

× **110**

自主占有に要求される「所有の意思」の有無は、権原の客観的性質によって定まる（最判昭45.6.18）。したがって、売買により土地の引渡しを受けた買主は、たとえ当該土地が他人の物であることを知っていたとしても、「所有の意思」が認められ自主占有を取得する（最判昭56.1.27）。

× **111**

解除条件付売買で引渡しを受けた買主は自主占有を取得する。後に条件が成就したため、売買契約が法律上当然に失効し所有権が売主に復帰したとしても、占有の性質の転換まで生ずるものではない（最判昭60.3.28）。

○ **112**

相続人は、相続財産を現実に支配するに至ったか否かに関係なく、被相続人が有していた占有権（いわゆる観念的占有権）を承継する（最判昭44.10.30）。

物権

**③** 占有権

## 占有権の効力

### 113 □□□

民法第188条にいう占有物の上に行使する権利とは、所有権その他の物権に限られ、賃借権その他の債権は含まれない。

（参考）第188条　占有者が占有物について行使する権利は、適法に有するものと推定する。

### 114 □□□

Aは、A所有の甲パソコンを占有しているBに対し、所有権に基づき甲パソコンの返還を請求した。この場合において、Aは、Bに占有権原がないことを主張・立証しなければならない。

### 115 □□□

他人の所有する土地につき地上権を主張する占有者は、その土地の所有者に対し、民法第188条に基づき地上権の設定登記手続を請求することができる。

### 116 □□□

民法第188条が適用されるのは、現在の占有者についてのみであり、過去の占有者は、その占有の間、本権を適法に有していたとは推定されない。

## × 113

188条にいう占有物の上に行使する権利とは、占有することを正当化する全ての権利を指し、所有権その他の物権に限られず、賃借権その他の債権も含まれる。

## × 114

占有者が占有物について行使する権利は、適法に有するものと推定される（188）。しかし、占有者は、適法にその物の占有の移転を受けて占有しているとは推定されず、占有についての正権原を立証する責任を負う（最判昭35.3.1）。本肢の場合、Bは、自己に占有権原があることを主張・立証しなければならない。

## × 115

188条の推定は、反証を挙げて破られるまでは正当な本権があるとの主張について挙証責任を負わないという消極的なものであるから、この推定を積極的に利用し不動産上の権利登記を申請することはできない（大判明39.12.24）。

## × 116

188条が適用されるのは、現在の占有者について限られるものではなく、過去の占有者も、その占有の間、本権を適法に占有していたと推定される（大判明38.5.11）。

## 117 □□□ 平9-11-ウ（平元-6-2）

他人の物を賃貸して賃料を受け取っていた者は、その物の所有者に賃料の返還を請求された場合には、自分に本権があると信じていたときでも、これを返還しなければならない。

## 118 □□□ 平14-11-ア

善意の占有者は、本権の訴えで敗訴した場合であっても、起訴の時までの間に占有物から生じた果実を消費していたときは、その果実の代価を償還する義務を負わない。

## 119 □□□ 平14-11-イ（令2-8-オ）

善意の占有者は、自己の責めに帰すべき事由によって占有物が滅失したときは、回復者に対し、損害の全部を賠償する義務を負う。

## 120 □□□ 平14-11-オ

占有者は、善意であるか悪意であるかを問わず、占有物に支出した必要費については、占有物から生じた果実を取得した場合を除き、回復者に対し、その全額の償還を請求することができる。

## × 117

善意の占有者は果実収取権を有する（189 I）。ここにいう果実には、賃料等の法定果実も含むと解されている（大判大14.1.20）。そして、善意占有者は、既に収取している果実を返還する必要はない（大判大14.1.20）。

## ○ 118

善意の占有者であっても、本権の訴えで敗訴したときは、起訴の時から悪意の占有者とみなされる（189 II）ので、起訴の時以後に占有物から生じた果実を消費していたときは、その果実の代価を償還する義務を負う（190 I）。他方、起訴の時までに占有物から生じた果実を消費していた場合には、なお善意占有者として果実を取得することができる（189 I）から、その代価を償還する義務を負わない。

## × 119

善意の占有者は、自己の責めに帰すべき事由によって占有物が滅失したときであっても、回復者に対し、損害の全部を賠償する義務を負う必要はなく、現に利益を得る限度で賠償すれば足りる（191本文後段）。ただし、善意占有者であっても所有の意思のない占有者は、全部の損害を賠償しなければならない（191但書）。

## ○ 120

占有者は、善意であるか悪意であるかを問わず、占有物に支出した必要費については、回復者に対し、その全額の償還を請求することができる（196 I本文）。ただし、占有者が果実を取得したときは、通常の必要費についてはその果実で支弁できることから、償還請求をすることはできない（196 I但書）。

物 権

❸ 占有権

Aは、B所有の甲建物を自己の所有物であると信じて占有し、その修繕や管理を行うとともに、第三者に賃貸して賃料を収受していた。この場合において、Aは、Bに甲建物を返還する際、修繕・管理のために支出した通常の必要費をBから償還させることはできない。

善意の占有者は、占有物に支出した有益費について、価格の増加が現存するときは、回復者の選択により、回復者に対し、費やした金額又は増価額の償還を請求することができる。ただし、裁判所は、回復者の請求により、その償還に相当の期限を許与することができる。

占有者がその占有物について有益費を支出したときは、善意の占有者は占有の回復者に対しその償還を請求することができるが、悪意の占有者は占有の回復者に対しその償還を請求することができない。

Bは、Aが占有する動産甲を盗み、盗品であることを秘して動産甲をその事実を知らないCに貸し渡した。この場合において、Aは、Bに対し、占有回収の訴えにより動産甲の返還を求めることはできない。

○ **121**

占有者が占有物を返還する場合には、その物の保存のために支出
した金額その他の必要費を回復者から償還させることができる
（196Ⅰ本文）。しかし、占有者が果実を取得したときは、通常の
必要費は、占有者の負担に帰する（196Ⅰ但書）。したがって、
甲建物を第三者に賃貸して賃料を収受していたAは、通常の必要
費をBから償還させることはできない。

× **122**

善意の占有者は、占有物に支出した有益費について、価格の増加
が現存する場合に限り、回復者の選択に従い、費やした金額又は
増加額の償還を請求することができる（196Ⅱ本文）。しかし、
裁判所により相当の期限を許与されるのは、悪意の占有者による
有益費償還請求の場合である（196Ⅱ但書）。

× **123**

悪意の占有者であっても、有益費の償還を請求することができる。
なお、悪意占有者の場合には、回復者に期限の許与を認めている
（196Ⅱ本文）。

× **124**

侵奪者からの賃借人が善意であれば、この者に対し、占有回収の
訴えを提起することはできないが（200Ⅱ参照）、この場合であっ
ても、侵奪者は、間接占有者として侵奪者たる地位を保有するか
ら、被侵奪者は、侵奪者に対し、占有回収の訴えを提起して占有
物の返還を求めることができる（大判昭5.5.3、大判昭19.2.
18）。

## 125 ☐☐☐                                      平23-9-ウ（平元-6-5）

Aから動産甲についての占有回収の訴えを提起されたBは、占有の
訴えに対し、防御方法として甲動産の本権を主張することはできる
が、本権に基づく反訴を提起することはできない。

## 126 ☐☐☐                        平29-9-ア（平5-17-4、平23-9-イ）

動産甲の占有者Aは、Bの詐欺によって、Bに動産甲を現実に引き
渡した。この場合において、Aは、Bに対し、占有回収の訴えによ
り動産甲の返還を求めることはできない。

## 127 ☐☐☐                                              令3-9-イ

Aがその占有する動産甲を公園で紛失し、Bがこれを拾得した場合
には、Aは、Bに対し、占有回収の訴えにより、動産甲の返還を請
求することができる。

## 128 ☐☐☐                                            平23-9-エ

強制執行によって動産の占有を解かれた場合には、その執行行為
が違法であるか否かにかかわらず、占有回収の訴えにより動産の
返還を請求することができる。

## 129 ☐☐☐                              平29-9-ウ（令3-9-ウ）

Aがその所有する動産甲をBに賃貸したが、Bは賃借期間が終了し
ても動産甲をAに返還しなかったことから、Aは実力でBから動産
甲を奪った。この場合において、Bは、Aに対し、占有回収の訴え
により動産甲の返還を求めることができる。

× **125**

占有の訴えについては、本権に関する理由に基づいて裁判をすることはできないため、占有の訴えに対し、防御方法として本権の主張をすることはできない（202Ⅱ）。しかし、本権に基づく反訴を提起することはできる（最判昭40.3.4）。

○ **126**

占有回収の訴えが認められるのは、占有者が意思に反してその占有を奪われたときであって、詐取されたときは認められない（200Ⅰ参照、大判大11.11.27）。

× **127**

占有回収の訴えは、「占有者がその占有を奪われたとき」に認められる（200Ⅰ）。この点、「奪われたとき」とは、窃取や強取など意思に反して占有を奪われた場合をいい（大判大11.11.27）、遺失物を拾得した場合、「侵奪」があったとはいえない。

× **128**

権限のある国の執行機関により、その執行行為として物の占有を強制的に解かれたような場合には、その執行行為が著しく違法性を帯びていて、もはや社会的に公認された執行と認めるに堪えないときを除いては、占有回収の訴えによってその物の返還を請求することは許されない（最判昭38.1.25）。

○ **129**

賃貸借の終了後、賃借人が目的物の占有を継続している場合において、賃貸人が、賃借人から目的物を実力で奪い返したときは、占有の侵奪となり、賃借人からの占有回収の訴えが認められる（大判大8.4.8）。

## 130 ☐☐☐                                                     令3-9-ア

Aが占有する動産甲をBが盗み、その事情を知っているCがこれを
Bから買い受けた場合には、Aは、Cに対し、占有回収の訴えによ
り、動産甲の返還を請求することができる。

## 131 ☐☐☐                                     平23-9-オ（平29-9-エ）

Bは、Aが占有する動産甲を盗み、盗品であることを秘してCに売
却した。Bが甲を盗んだことを知らないCは、これを知っているD
に甲を売却し、Dが甲を占有している。この場合には、Aは、Dに
対し、占有回収の訴えにより甲の返還を求めることができる。

## 132 ☐☐☐                                                     令3-9-エ

Aが占有する動産甲をBが盗んだが、Aが適法に動産甲の占有を
取り戻した場合には、Aは、Bに対し、占有回収の訴えにより、占
有侵害により生じた損害の賠償を請求することができない。

## 133 ☐☐☐                                                     平15-9-ア

BはAの車庫から自動車を窃取して乗り回した後、これをCに売り
渡した。Aは、Cに対し、Cが自動車の占有を取得した時から1年
内に限り、占有回収の訴えにより自動車の返還を請求することがで
きる。

○ **130**

占有者がその占有を奪われたときは、占有回収の訴えをすることができる（200Ⅰ）。そして、占有回収の訴えは、侵奪の事実につき善意の特定承継人に対しては提起することができないが（200Ⅱ本文）、悪意の特定承継人に対しては、これを提起することができる（200Ⅱ但書）。

× **131**

占有回収の訴えは、占有を侵奪した者の悪意の特定承継人に対して提起することができる（200Ⅱ但書）が、いったん善意の特定承継人の占有に帰すと、その後の特定承継人が悪意であっても、その者に対して訴えを提起することはできない（大判昭13.12.26）。

× **132**

占有者がその占有を奪われたときは、占有回収の訴えにより、その物の返還及び損害の賠償を請求することができる（200Ⅰ）。この点、返還請求権と損害賠償請求権は、それぞれ別個のものであり、両請求権を一つの訴えで行使することも、別訴で行使することもできる。

× **133**

侵奪された占有物について特定承継人が生じた場合における占有回収の訴えの提起期間は、最初の占有侵奪の時から1年以内であって（201Ⅲ）、特定承継人が占有を取得した時から1年以内ではない。

所有権に基づく妨害排除請求権は、時効によって消滅しないが、占有保持の訴えは、妨害が消滅した時から1年を経過した場合には提起することができない。

占有者は、その占有を第三者に妨害されるおそれがあるときは、その第三者に故意又は過失があるか否かにかかわらず、その第三者に対し、占有保全の訴えにより、その妨害の予防又は損害賠償の担保を請求することができる。

Aがその所有する動産甲を目的とする譲渡担保権をBのために設定し、占有改定による引渡しをした後、AがCに動産甲を譲渡し、占有改定による引渡しをした場合、Bは、Cに対し動産甲についての譲渡担保権を主張することができない。

Aがその所有する動産甲をBに譲渡し、占有改定による引渡しをした後、Aが無権利者であることについて善意無過失のCが、競売によってAから動産甲を買い受け、現実の引渡しを受けた場合、Cは、Bに対し、動産甲の所有権を主張することができる。

○ **134**

所有権は消滅時効にかからないので、所有権に基づく妨害排除請求権も時効により消滅することはない。一方、占有保持の訴えは妨害が消滅した後1年以内に提起しなければならない（201 I 参照）。

○ **135**

占有者がその占有を妨害されるおそれがあるときは、占有保全の訴えにより、その妨害の予防又は損害賠償の担保を請求することができる（199）。そして、占有保全の訴えによって妨害の予防又は損害賠償の担保を請求するためには、相手方に故意又は過失があることを要しない。

物

権

**3** 占有権

× **136**

Bは、占有改定による引渡しを受けたことで、対抗要件を備えている（178・183）。一方、Cは、無権利者となったAから動産の譲渡を受けており、Cが192条により所有権を取得し得るためには、占有改定による取得では足らず、現実に引渡しを受けることを要する（最判昭35.2.11）。したがって、Bは、Cに対し、動産甲についての譲渡担保権を主張することができる。

○ **137**

強制執行による売却は、任意の取引行為ということはできないが、一種の取引行為であることから、売買などの任意の取引行為と同視して、買受人が192条の要件を備えれば、動産の即時取得が認められる（最判昭42.5.30）。

## 占有の成立要件

### 138 □□□
平28-9-ウ

Aは、Bが所有しAに寄託している動産甲をBから買い受け、その代金を支払った。この場合には、Aの動産甲に対する占有の性質は、所有の意思をもってする占有に変更される。

### 139 □□□
平28-9-オ

Aが所有しBに寄託している動産甲について、Bによる動産甲の占有の効果はAに帰属することから、Bは、動産甲の占有権を取得しない。

### 140 □□□
平21-7-ア

AがB所有の甲土地に無権原で自宅として乙建物を建て、所有の意思をもって甲土地を15年間占有した後、Aが死亡し、その直後からAの単独相続人であるCが自宅として乙建物に住むようになり、5年間所有の意思をもって甲土地を占有した場合、Cは甲土地の所有権を取得する。ただし、占有について、平穏及び公然の要件は満たしているものとする。

### 141 □□□
平3-2-4（令2-8-エ）

土地所有者が死亡し、共同相続が開始した場合において、他の相続人の承諾を得てその中の一人が占有を始めたときは、その者は単独所有者として自主占有権を取得する。

○ **138**

所有の意思のない占有者が売買契約を締結し、目的物を買い受け、その代金を支払った場合、当該買主は185条にいう新たな権限（新権原）により所有の意思をもって占有を始めたものというべきである（最判昭52.3.3参照）。

× **139**

占有権は、自己のためにする意思をもって物を所持することによって取得する（180）。この点、受寄者は自己の責任において物を所持するものであるから、自己のためにする意思があるといえる。

○ **140**

20年間、所有の意思をもって、平穏に、かつ、公然と他人の物を占有した者は、その所有権を取得する（162 I）。占有者の承継人は、その選択に従い、自己の占有のみを主張し、又は自己の占有に前の占有者の占有を併せて主張することができる（187 I）。これは相続のような包括承継の場合にも適用され、相続人は、被相続人の占有に自己の占有を併せてこれを主張することができる（最判昭37.5.18）。

× **141**

共同相続人は相続財産に属する土地を共有することになるため（最判昭30.5.31参照）、本肢のように、他の相続人の承諾を得て相続人の中の一人が当該土地の占有を始めたとしても、その事情だけでは、その者が当該土地の単独所有者となることはない。

Aが所有する動産甲をBに賃貸している場合において、AがをC
に譲渡した。この場合において、Cが指図による占有移転により甲
の引渡しを受けるためには、AがBに対して以後Cのためにその物
を占有することを命じ、Cがこれを承諾することが必要である。

AがBに対して甲動産を貸し渡している場合において、Aが、Fに
甲動産を譲渡し、Bに対し、以後Fのために甲動産を占有すべき旨
を命じたところ、Bは、Fと不仲であるとして、これを拒絶した。
この場合には、Fは、甲動産に対する占有権を取得しない。

## 占有権の消滅

A所有の甲建物を、代金を約定期限までに支払わないときには契
約が当然に解除されたものとする旨の解除条件付きで、BがAか
ら購入して占有を始めた場合において、その解除条件が成就して
売買契約が失効したときは、Bの占有は所有の意思をもってする占
有ではなくなる。

Aは、Bが所有しCに寄託している動産甲をBから買い受け、自ら
Cに対し以後Aのために動産甲を占有することを命じ、Cがこれを
承諾した。この場合には、Bの動産甲の占有権は、Aに移転する。

## ○ 142

代理人によって占有をする場合において、本人がその代理人に対して以後第三者のためにその物を占有することを命じ、その第三者がこれを承諾したときは、その第三者は、占有権を取得する（184）。

## × 143

指図による占有移転（184）の場合、譲渡人と譲受人との間の占有権譲渡の合意は必要であるが、占有代理人の承諾は不要である。したがって、占有代理人Bが指図を拒絶しても、甲動産に対する占有権は適法にFに移転する。

## × 144

売買契約に基づいて開始された自主占有は、当該売買契約が解除条件の成就により失効しても、それだけでは、他主占有に変わるものではない（最判昭60.3.28）。

## × 145

BがCに対し以後Aのためにその物を占有することを命じ、Aがこれを承諾することが必要である（184）。

## 146 ☐☐☐

Ａ所有の甲土地上にあるＢ所有の乙建物をＣがＢから賃借して占有している場合において、Ｂが甲土地の占有権原を失ったときは、Ａは、Ｃに対し、乙建物からの退去及び甲土地の明渡しを請求することができる。

## 147 ☐☐☐

Ａ所有の甲建物をＢがＡから賃借して居住し、ＣがＢの身の回りの世話をする使用人として甲建物でＢと同居している場合において、ＡＢ間の賃貸借契約が解除されたときは、Ａは、Ｃに対し、甲建物の明渡しを請求することができない。

## 148 ☐☐☐

建物の賃貸借契約により賃貸人の代理占有が成立する場合において、賃借人が当該賃貸借契約の終了後も当該建物の占有を続けていたとしても、当該賃貸借契約の終了により、賃貸人の代理占有は消滅する。

## 149 ☐☐☐

Ａは、Ｂが所有しＡに賃貸している動産甲について、Ｂの承諾を得て、動産甲の賃借権をＣに譲渡した。この場合には、Ａは、動産甲のＣへの引渡しがされていないときであっても、動産甲の占有権を失う。

◯ **146**

判例は、建物はその敷地を離れて存在し得ないのであるから、建物を占有使用する者はこれを通じてその敷地をも占有するものと解すべきであるとして、建物を賃借して占有している者について、敷地に関する物権的返還請求の被告適格を認めている（最判昭34.4.15）。

◯ **147**

他人の使用人として家屋に居住するにすぎない者に対しては、特段の事情のない限り、その不法占有を理由として家屋の明渡を請求することはできない（最判昭35.4.7）。

✕ **148**

占有権は、代理権の消滅のみによっては、消滅しない（204Ⅱ）。この点、ここでいう代理権とは、代理占有を適法にする内部関係上の権限（占有代理関係）のことで、賃貸借契約はこれに当たる。

✕ **149**

占有権は、占有者が占有の意思を放棄し、又は占有物の所持を失うことによって消滅する（203前段）。この点、占有の意思とは「自己のためにする意思」（180）をいい、事実的支配が継続する限り、占有の意思はなお存続する。

AがBに対して甲動産を貸し渡している。AB間の甲動産の貸借は、錯誤に基づくものであった。この場合には、Aは、Bから甲動産を窃取したCに対し、占有回収の訴えを提起することができない。

AがBに対して甲動産を貸し渡している。AがBに対して甲動産の一時返還を求めたところ、Bは、甲動産は自己の所有物であるとして、これを拒否した。その後、DがBから甲動産を窃取した。この場合には、Aは、Dに対し、占有回収の訴えを提起することができない。

地上権者が土地を使用していないときでも、その地上権に抵当権が設定されていれば、地上権は、時効によって消滅することはない。

賃貸借関係が錯誤により取り消された場合であっても、占有代理関係の法律上の効力は失われず、代理占有そのものは消滅しない（204Ⅱ）。したがって、Aは、窃取者Cに対し、間接占有者として占有回収の訴えを提起することができる。

**○ 151**

占有代理人が本人に対して、以後、自己のために占有物を所持するという意思を表示した場合には、本人の占有は消滅する（204Ⅰ②）。この点、甲動産は自己の所有物であるとして、Aの一時返還請求を拒絶したBの行為はこれに該当する。したがって、以後Aの甲動産への占有は認められず、Dに対し占有回収の訴えを提起することはできない。

**✕ 152**

地上権の消滅時効は、「権利を行使することができる時」から進行する（166Ⅱ）。そして、地上権に抵当権が設定されていても、時効の完成猶予事由又は更新事由のいずれにも当たらない（147～152参照）。

物

権

**❸ 占有権**

# ❹ 所有権

## 相隣関係

153 ▢▢▢　　　　　　　　　　　　平5-16-オ（平30-9-5）

土地の所有者は、境界において建物を修繕するため、必要な範囲内で隣地の使用を請求することができる。

154 ▢▢▢　　　　　　　　　　　　　　　　令2-9-ウ

土地の所有者は、境界付近において建物を修繕するために必要があるときは、隣人の承諾がなくても、隣人の住家に立ち入ることができる。

155 ▢▢▢　　　　　　　　　　　　平5-16-エ（平30-9-1）

袋地の所有権の取得者は、その登記を経由していなくても、囲繞地の所有者及びその利用権者に対して、囲繞地通行権を主張することができる。

156 ▢▢▢　　　　　　　　　　　　　　　　平元-8-5

一筆の土地が分割により公道に面するA土地と袋地であるB土地に分かれた場合において、A土地が第三者に譲渡されたときは、B土地の所有者は、A土地以外の囲繞地についても囲繞地通行権を主張することができる。

物
権

❹ 所有権

○ **153**

土地の所有者は、境界又はその付近における障壁、建物その他の工作物の築造、収去又は修繕のため、必要な範囲内で、隣地を使用することができる（209Ⅰ本文①）。

× **154**

土地の所有者は、境界又はその付近における障壁、建物その他の工作物の築造、収去又は修繕のため、必要な範囲内で、隣地を使用することができる（209Ⅰ本文①）。しかし、住家については、その居住者の承諾がなければ、立ち入ることはできない（209Ⅰ但書）。

○ **155**

袋地の所有権を取得した者は、所有権移転登記をしていなくとも、囲繞地の所有者及びこれにつき利用権を有する者に対して囲繞地通行権を主張することができる（最判昭47.4.14）。

× **156**

一筆の土地の分割によって袋地を生じたときは、袋地の所有者は、公道に至るためには他の分割者の所有地のみを通行することができる（213Ⅰ）。これは、他の分割者がその所有地を他人に譲渡した場合も同様である（最判平2.11.20）。

分割によって袋地が生じた場合には、袋地の所有者は、公道に至るため、他の分割者の所有地のみを通行することができるが、償金を支払わなければならない。

Aが、その所有する甲土地及び乙土地のうち甲土地をBに譲渡した際に、これにより、Aの所有する乙土地が公道に通じない土地になることを認識していた場合、Aは、公道に至るために甲土地を通行することはできない。

Aが所有する甲土地を二つに分筆してその一つをBに譲渡したところ、Bの取得した土地が公道に通じない土地となった場合、BはAが所有する残余地について通行権を有するが、AがCに対して残余地を売却した場合、当該通行権は消滅する。

互いに隣接する甲土地と乙土地があり甲土地が乙土地より高地にある場合、甲土地から乙土地に水が自然に流れてくるときに、乙土地の所有者は、水の流れをせき止めることはできない。

× 157

分割によって公道に通じない土地が生じたときは、その土地の所有者は、公道に至るため、他の分割者の所有地のみを通行することができる（213Ⅰ前段）。そして、この場合においては、償金を支払うことを要しない（213Ⅰ後段）。

× 158

土地の一部譲渡によって公道に通じない土地が生じた場合には、当該土地の所有者は、残余地についてのみ通行権を有する。ここにいう一部譲渡には、同一人の所有する数筆の土地の一部を譲渡する場合を含む（最判昭44.11.13）。そして、このことは土地所有者の認識によって異ならない。したがって、Aは、公道に至るために甲土地を通行することができる。

× 159

土地の一部譲渡によって公道に通じない土地が生じた場合には、当該土地の譲受人は、土地の譲渡人の所有地（残余地）についてのみ通行権を有し（213Ⅱ）、残余地に特定承継が生じたときも、残余地自体に課せられた物権的負担として、当該通行権は消滅しない（最判平2.11.20）。

○ 160

土地の所有者は、隣地から水が自然に流れて来るのを妨げてはならない（214）。

## 161 □□□ 平23-10-イ

互いに隣接する甲土地と乙土地があり甲土地が乙土地より高地にある場合、甲土地から乙土地に流れこむ水の流れが天災によって乙土地内で閉塞してしまったときに、甲土地の所有者Aは、乙地に立ち入り、自己の費用で、水流の障害を除去するために必要な工事をすることができる。

## 162 □□□ 平23-10-ウ（令2-9-オ）

互いに隣接する甲土地と乙土地がある場合、甲土地の所有者が家屋を建てるときに、雨水が乙土地に直接注ぐ構造の屋根を設けることができる。

## 163 □□□ 平30-9-3

自動車による通行を前提とする囲繞地通行権は、成立しない。

## 164 □□□ 平23-10-エ（令2-9-ア）

互いに隣接する甲土地と乙土地があり、甲土地の所有者が甲土地と乙土地との境界に境界標を設けたいと考えた場合、境界標を設ける必要性はないと考えているかもしれない乙土地の所有者と共同の費用でこれを設けることを求めることはできない。

## ○ 161

水流が天災その他避けることのできない事変により低地において閉塞したときは、高地の所有者は、自己の費用で、水流の障害を除去するため必要な工事をすることができる（215）。

## × 162

土地の所有者は、直接に雨水を隣地に注ぐ構造の屋根その他の工作物を設けてはならない（218）。

## × 163

自動車による通行を前提とする210条1項所定の通行権の成否及びその具体的内容は、公道に至るため他の土地について自動車による通行を認める必要性、周辺の土地の状況、上記通行権が認められることにより他の土地の所有者が被る不利益等の諸事情を総合考慮して判断すべきである（最判平18.3.16）。したがって、自動車による通行を前提とする囲繞地通行権も成立し得る。

## × 164

土地の所有者は、隣地の所有者と共同の費用で、境界標を設けることができる（223）。そして、境界標の設置及び保存の費用は、相隣者が等しい割合で負担するが、測量の費用は、その土地の広狭に応じて分担するとされている（224）。

## 165 □□□ 平29-10-ア（令2-9-イ）

地上権の目的である土地とその隣地との境界線上に地上権設定後に設けられたブロック塀は、地上権者と隣地の所有者の共有であると推定される。

## 166 □□□ 平5-16-イ（平30-9-4）

土地の所有者は、隣地の竹木の枝が境界線を越えたときは、当然にその枝を採取することができる。

## 167 □□□ 平23-10-オ

互いに隣接する甲土地と乙土地があり、甲土地に植えられている樹木の根が乙土地との境界線を越えて伸びている場合に、乙土地の所有者は、その根を切り取ることができる。

### 所有権の取得

## 168 □□□ 令4-9-ア

Aの所有する甲土地の中からBが埋蔵物を発見した場合において、その所有者が判明しないときは、Bが当該埋蔵物の単独所有権を取得する。

## 169 □□□ 平6-17-ウ（平15-10-ア）

建物の賃借人が、賃貸人である建物所有者の承諾を得て建物の増築をした場合において、増築部分が構造上区分されるべきものでないときは、増築部分建物は、賃借人と賃貸人の共有となる。

○ **165**

地上権の設定後に地上権の目的である土地とその隣地との境界線上に工作物が設けられた場合、その境界線上に設けた工作物は、地上権者と隣地の所有者の共有に属するものと推定される（267・229）。

× **166**

土地の所有者は、隣地の竹木の枝が境界線を越えるときは、その竹木の所有者に、その枝を切除させることができる（233Ⅰ）。この場合において、233条3項の要件を満たすときに限り、土地の所有者は、その枝を自ら切り取ることができる（233Ⅲ）。

○ **167**

隣地の竹木の根が境界線を越えるときは、その根を切り取ることができる（233Ⅳ）。

× **168**

他人の所有する物の中から発見された埋蔵物については、これを発見した者及びその他人が等しい割合でその所有権を取得する（241但書）。

× **169**

増築部分が構造上区分されるべきものでない以上、増築部分の所有権は従前の建物に付合し（242本文）、賃貸人である建物所有者に帰属する（最判昭38.5.31）。

## 170 □□□

平15-10-エ（令5-9-エ）

Aは、Bから依頼を受け、動産甲に工作を加えて動産乙を作成した。乙の価格が著しく甲の価格を超えている場合であっても、甲がBの所有物でなかったときは、Aは、乙の所有権を取得しない。

## 171 □□□

平31-14-ア（平15-10-ウ）

甲建物に抵当権が設定されていた場合において、互いに主従の関係にない甲建物と乙建物とが合体して新たに丙建物となったときは、その抵当権は、丙建物のうちの甲建物の価格の割合に応じた持分を目的として存続する。

## 共有

## 172 □□□

平25-9-イ

共有関係は、当事者の合意によって生ずるほか、法律の規定によっても生ずる。

## 173 □□□

令2-10-ウ

A、B及びCが各3分の1の持分の割合で甲土地を共有している場合に、Aが自己の持分を放棄した場合には、その持分は国庫に帰属する。

× **170**

他人の動産甲に工作を加えたことによって作成された動産乙の価格が著しく材料の価格を超えるときは、動産乙の所有権は加工者が取得する（246Ⅰ但書）。他人の動産とは、必ずしも加工依頼者の所有物に限られない。

○ **171**

互いに主従の関係にない甲乙2棟の建物が、工事により1棟の丙建物となった場合、抵当権が消滅することはなく、丙建物のうちの甲建物又は乙建物の価格の割合に応じた持分を目的とするものとして存続する（最判平6.1.25）。

○ **172**

共有関係は、当事者の合意によるほか、法律の規定により、生ずることもある。例えば、相隣関係（229）、所有権の取得（241但書・244・245）、相続財産（898Ⅰ）などである。

× **173**

共有者の一人が、その持分を放棄したときは、その持分は、他の共有者に帰属する（255）。

平27-10-オ（平24-9-エ、平31-11-ウ）

A、B及びCが甲土地を共有している場合において、Aが死亡し、その相続人が存在しないことが確定し、清算手続が終了したときは、その共有持分は、特別縁故者に対する財産分与の対象となり、財産分与がされず、当該共有持分が承継すべき者のないまま相続財産として残存することが確定したときにはじめて、B及びCに帰属する。

平4-11-イ（平元-7-5、平27-10-イ、令2-10-オ）

A及びBは、甲建物を共有しているが、その持分は、Aが3分の2、Bが3分の1である。甲建物の使用方法が定まっていない場合において、Bが単独でこれを占有しているときは、Aは当然に明渡しを求めることができる。

平15-11-イ（平19-10-イ）

他の共有者との協議に基づかないで共有地を占有している共有者に対し、他の共有者は、明渡しを請求することができる。

平19-10-オ

共有者の一人が共有者間の協議に基づかないで共有地を第三者に賃貸している場合には、他の共有者は、当該第三者に対して、当該共有地の明渡しを請求することができる。

○ **174**

共有者の一人が死亡し、相続人の不存在が確定し、相続債権者や
受遺者に対する清算手続が終了したときは、その共有持分は特別
縁故者に対する財産分与の対象となり、当該財産分与がされず、
当該共有持分が承継すべき者のないまま相続財産として残存する
ことが確定したときにはじめて、255条により他の共有者に帰属
する（最判平元.11.24）。

× **175**

持分の価格が過半数に達していない共有者の一人が、共有物を単
独で占有している場合であっても、他の共有者は、当然には明渡
しを請求することはできない（最判昭41.5.19）。

× **176**

共有者のうちの一人が、共有物を占有して他の共有者による使用
収益を妨害している場合には、占有者にも共有持分権に基づく使
用権原があるため、これを全面的に明け渡すよう請求をすること
はできず、他の共有者は自己の持分の価格の限度において共有物
を使用収益することを妨害してはならない旨の不作為請求をする
ことができるにとどまる（大判大11.2.20）。

× **177**

共有者の一人が共有者間の協議に基づかないで共有地を第三者に
使用させている場合であっても、他の共有者は、第三者の占有使
用が共有者の一人の持分に基づくものと認められる限りは、当該
第三者に対して当然には明渡しを請求することはできない（最判
昭63.5.20）。

物 権

**④** 所有権

## 178 □□□ 平17-10-ウ

Ａ、Ｂ及びＣが父親Ｘから甲土地を共同相続した(相続分は平等であり、遺産分割協議は未了である。)。この場合において、Ａが、Ｂ及びＣと協議をすることなく、相続開始後に甲土地上に建物を建てて居住していたとしても、Ａは、自己の持分に基づき、甲土地全体を使用収益する権原を有しているから、Ｂは、Ａに対し、甲土地の地代相当額のうち自己の持分割合に応じた額についても、これを損害金として請求することはできない。

## 179 □□□ 平12-10-エ

共有地である畑を宅地に造成する行為は、共有者が全員でなければすることができない。

## 180 □□□ 令5-10-オ

Ａ、Ｂ及びＣが各３分の１の持分の割合で甲土地を共有している場合において、Ａが甲土地を駐車場として使用させる目的でＤのために賃借権を設定するときは、賃貸借の存続期間の長短にかかわらず、Ｂ及びＣの同意が必要である。

## 181 □□□ 平30-10-オ（平15-11-エ、平27-10-ア）

Ａ、Ｂ及びＣが各３分の１の持分の割合で甲土地及び甲土地上の立木を共有している。ここで、Ａが、Ｂ及びＣの同意を得ないで甲土地上の立木を伐採しようとしている場合、Ｂは、Ａに対し、単独で伐採の禁止を求めることはできない。

× **178**

共有物を使用する共有者は、別段の合意がある場合を除き、他の共有者に対し、自己の持分を超える使用の対価を償還する義務を負う（249Ⅱ）。

○ **179**

各共有者は、他の共有者の同意を得なければ、共有物に変更（その形状又は効用の著しい変更を伴わないものを除く。）を加えることができない（251Ⅰ）。この点、畑を宅地に造成する行為は、効用の著しい変更を伴う行為に該当する。

× **180**

駐車場としての使用を目的とする土地の賃借権であって、存続期間が5年を超えない短期の賃借権を設定することについては（252Ⅳ②）、共有物の管理に関する事項の規律に基づいて、各共有者の持分の価格に従い、その過半数で決する（252Ⅰ前段）。

× **181**

共有者の一人が他の共有者の同意を得ないで共有林を伐採しようとしている場合、他の共有者は、その全部の禁止を請求することができる（最判平10.3.24）。

物

権

❹ 所有権

## 182 ☐☐☐                                               平17-10-エ

A、B及びCが父親Xから甲土地を共同相続した(相続分は平等であり、遺産分割協議は未了である。)。この場合において、Aが勝手に甲土地の宅地造成工事のために甲土地に土砂を搬入したとしても、Aは、自己の持分に基づき、甲土地全体を使用収益する権原を有しているから、Cは、Aに対し、自己の持分権に基づく妨害排除請求権を行使して、甲土地上に搬入された土砂の撤去を請求することはできない。

## 183 ☐☐☐                          平8-10-2(平24-9-ウ、平30-10-ア)

ABCが3分の1ずつの持分割合で共有する建物の賃借人が賃料の支払を遅滞したときは、Aは単独で賃貸借契約の解除の意思表示をすることができる。

## 184 ☐☐☐                                               平29-7-オ

Aが5分の4、Bが5分の1の割合で共有する甲土地をCが不法に占有している場合には、Bは、Aの同意を得ていなくても、Cに対し、所有権に基づく返還請求権を行使して甲土地の明渡しを求めることができる。

## 185 ☐☐☐           平8-10-5(平17-10-オ、平24-9-オ、平30-10-イ)

ABCが3分の1ずつの持分割合で共有する建物について、AがCに管理費用の立替債権を有している場合には、AはCから持分の譲渡を受けたDに対して、その支払を請求することができる。

× **182**

共有者の一部が他の共有者の同意を得ることなく、共有物に変更を加える行為をしている場合には、他の共有者は、各自の持分権に基づいて共有物の変更行為により生じた結果を除去して共有物の原状回復を求めることができる（最判平10.3.24）。

× **183**

契約の当事者の一方が複数である場合、解除権の行使は、全員から又は全員に対してしなければならない（544Ⅰ）。しかし、共有物についての賃貸借契約の解除は、共有物の管理行為（252Ⅰ前段）として、各共有者の持分価格の過半数の合意によりしなければならない（最判昭39.2.25）。

○ **184**

共有者の一人は、共有不動産を不法に占有する者に対し、保存行為（252Ⅴ）として、単独でその明渡しを請求することができる（大判大7.4.19）。

○ **185**

共有者の一人が、管理費用の立替債権など共有物に関して有する債権は、共有持分の特定承継人に対しても行使することができる（254）。

Ａ、Ｂ及びＣが各３分の１の持分の割合で甲土地及び甲土地上の立木を共有している場合において、Ａは、Ｂ及びＣの同意がなくても、甲土地の自己の持分に抵当権を設定することができる。

Ａ、Ｂ及びＣが各３分の１の持分の割合で甲建物を共有している場合に関して、Ａ、Ｂ及びＣの間に共有物不分割の特約がある場合でも、Ａは、Ｂ及びＣの承諾を得ずに、自己の持分をＤに譲渡することができる。

第三者が共有地を不法に占有している場合において、当該第三者に対して不法行為に基づく損害賠償の請求をするときは、各共有者は、自己の持分の割合を超えて損害賠償を請求することができない。

ＡとＢが共有する建物をＣが不法に占拠している場合、Ａは、その持分の割合がいくらであるかにかかわらず、単独で、Ｃに対して当該建物の明渡しを請求することができる。

共有不動産について、真実の所有者でない者が登記記録上の所有権の登記名義人となっている場合に、その登記の抹消を請求するには、共有者全員ですることを要せず、各共有者が単独ですることができる。

○ **186**

持分権は、譲渡、抵当権設定など自由に処分できる。したがって、Aは、B及びCの同意を得ずに単独で、甲土地の自己の持分に抵当権を設定することができる。

○ **187**

共有物不分割特約がある場合でも、Aは、B及びCの承諾を得ずに、自己の持分をDに譲渡することができる。

○ **188**

第三者の違法な行為により共有物が侵害された場合の損害賠償請求権は、各共有者に持分の割合に応じて分割的に帰属し、各共有者は、単独ではその持分相当額の損害賠償しか請求できない（最判昭41.3.3、最判昭51.9.7）。

○ **189**

共有物を第三者が不法に占有する場合には、各共有者は、単独で、その全部の引渡しを請求することができる。この場合の根拠については、252条5項の「保存行為」に当たることを理由とするもの（大判大10.6.13）と不可分債権（428）の類推によるもの（大判大10.3.18）とがある。

○ **190**

共有物につき、第三者が不法な登記名義を有するときは、各共有者は持分権に基づき単独で、第三者の不正登記の抹消を請求することができる（最判昭31.5.10）。その抹消登記の請求は、妨害排除の請求に当たり、保存行為（252Ⅴ）に該当するからである。

要役地が数人の共有に属する場合において、当該要役地のために
地役権の設定の登記手続を求める訴えを提起するときは、共有者
全員が原告とならなければならない。

ＡＢＣが3分の1ずつの持分割合で共有する建物について、ＡＢＣ
間で、5年間建物を分割しない旨の合意がされた後、Ｃがその持
分をＤに譲渡した場合、Ａはその旨の登記がなければ不分割の合
意をＤに対抗することはできない。

共有物の分割について共有者間に協議が成立した場合には、その
分割は、共有関係の成立の時に遡ってその効力を生ずる。

Ａ、Ｂ及びＣが各3分の1の持分の割合で甲建物を共有している場
合に関して、甲建物の分割方法につき、ＡとＢとの間にのみ争いが
ある場合において、Ａが裁判による分割を請求するときは、ＡはＢ
を相手方としてその訴えを提起すれば足りる。

## × 191

要役地が数人の共有に属する場合、各共有者は、単独で共有者全員のため共有物の保存行為として、要役地のために地役権設定登記手続を求める訴えを提起することができる。そして、この訴えは固有必要的共同訴訟ではない（最判平7.7.18）ため、共有者全員が原告とならなければならないわけではない。

## ○ 192

各共有者は、共有物の分割を請求することができる（256Ⅰ本文）が、特約により5年を超えない期間内に限り分割を禁止することができる（256Ⅰ但書）。ただし、この特約の効力を特定承継人に対抗するためには、登記を必要とする（不登59⑥）。

## × 193

共有物分割の効果は遡及しない。すなわち、共有者間で共有物分割協議が調ったときは分割協議成立の時から、裁判によって共有物分割が成立したときは裁判の確定の時から、分割の効力が生ずる。

## × 194

共有物の分割について共有者間に協議が調わないとき、又は協議をすることができないときは、その分割を裁判所に請求することができる（258Ⅰ）。この点、共有物分割請求訴訟は、他の共有者全員を被告としなければならない固有必要的共同訴訟である（大判大12.12.17）。

## 195 □□□ 　　　　　　　　　　　　　　　　　　平17-10-イ

Ａ、Ｂ及びＣが父親Ｘから甲土地を共同相続した（相続分は平等であり、遺産分割協議は未了である。また、相続開始の時から10年を経過していない。）。この場合において、Ａ、Ｂ及びＣの間で甲土地の分割について協議が調わない場合に、甲土地の共有関係を解消するためには、家庭裁判所に対して遺産分割を請求すべきであり、地方裁判所に対して共有物分割請求の訴えを提起しても、その訴えは、不適法である。

## 196 □□□ 　　　　　　　　　　　　　　平25-9-オ（令2-10-イ）

不動産の共有者間で持分の譲渡がされたものの、その譲渡について登記がされていない場合における当該不動産の共有物分割訴訟において、裁判所は、当該持分が譲受人である共有者に帰属するものとして、共有物分割を命ずることができる。

## 197 □□□ 　　　　　　　　　　　　　　平22-9-エ（平27-10-エ）

Ａ、Ｂ及びＣが共有する建物を分割する場合において、協議により分割するときは、Ａに当該建物を取得させ、Ｂ及びＣに持分の価格を賠償する方法によることができるが、裁判により分割するときは、このような方法によることはできない。

## 198 □□□ 　　　　　　　　　　　　　　　　　　令6-9-ウ

裁判所は、共有物の現物を分割する方法により共有物を分割することができない場合に限り、共有者に債務を負担させて、他の共有者の持分の全部又は一部を取得させる方法により共有物の分割を命ずることができる。

## ○ 195

共有物の全部又はその持分が相続財産に属する場合において、共同相続人間で当該共有物の全部又はその持分について遺産の分割をすべきときは、相続開始の時から10年を経過したときを除き、当該共有物又はその持分について裁判による共有物の分割をすることができない（258の2Ⅰ・Ⅱ本文）。したがって、A、B及びCは、家庭裁判所に遺産分割を請求すべきであり、地方裁判所に対して共有物分割請求の訴えを提起することはできない。

## × 196

共有物分割の訴えは、共有者の権利関係をその全員について画一的に創設する訴えであるため、持分譲渡があっても、これをもって他の共有者に対抗できないときは、共有者全員に対する関係においても、譲渡された持分が、なお譲渡人に帰属するものとして、共有物分割をすべきである（最判昭46.6.18）。

## × 197

協議により分割をするときは、①現物分割、②価格賠償、③代金分割の方法によることができる。また、裁判による分割をするときも、裁判所は、①現物分割、②持分の価格を賠償する方法のほか、①、②の方法により共有物を分割することができないとき、又は分割によってその価格を著しく減少させるおそれがあるときは、③競売による換価分割を命ずることができる（258Ⅱ・Ⅲ）。

## × 198

裁判所は、①共有物の現物を分割する方法、②共有者に債務を負担させて、他の共有者の持分の全部又は一部を取得させる方法により、共有物の分割を命ずることができる（258Ⅱ各号）。この点、①と②の間に先後関係はない。

Ａ、Ｂ及びＣが各３分の１の持分の割合で甲建物を共有している場合に関して、共有物の分割によってＡが単独で甲建物を取得した場合には、Ｂ及びＣは、甲建物に欠陥があっても、Ａに対して担保責任を負わない。

各共有者は、他の共有者が分割によって取得した物について、売主と同じく、その持分に応じて担保の責任を負う（261）。

# ❺ 用益物権

## 地上権・永小作権

### 200 □□□
平28-10-3（平24-10-ア）

地上権者は、地上権の目的となっている土地の所有者の承諾を得なければ、その土地を第三者に賃貸することができない。

### 201 □□□
平18-13-イ（平24-10-イ、平25-10-ア）

土地の賃借人は、特約がない限り賃貸人の承諾を得なければその賃借権を譲渡することができないが、地上権者は、特約がなくても土地の所有者の承諾を得ないでその地上権を譲渡することができる。

### 202 □□□
平18-13-ウ

土地の賃貸借は、一筆の土地の一部を目的とすることができるが、地上権は、一筆の土地の一部を目的として設定することができない。

### 203 □□□
平25-10-イ（平26-10-イ）

地上権を目的とする抵当権を設定することができる。

### 204 □□□
平25-10-オ

地上権は、時効により取得することができる。

### 205 □□□
平2-17-ア（平26-10-ウ）

電柱の所有を目的とする地上権を設定する場合、存続期間を100年と定めることはできる。

**×** **200**

地上権は、土地を直接排他的に使用収益する権利であるため、地上権設定者の承諾がなくとも地上権の目的となっている土地を賃貸することができる。

**○** **201**

土地の賃借人は、特約がない限り賃貸人の承諾を得なければその賃借権を譲渡することができない（612Ⅰ）。一方、地上権者は、特約がなくても土地の所有者の承諾を得ないでその地上権を譲渡することができる。

**×** **202**

私的自治の見地から土地の賃貸借は一筆の土地の一部を目的とすることができる。また同様に、地上権も一筆の土地の一部を目的として設定することができる。

**○** **203**

地上権は、抵当権の目的とすることができる（369Ⅱ）。

**○** **204**

地上権は163条の所有権以外の財産権に当たり、時効取得の対象となる。

**○** **205**

地上権の存続期間については、永小作権（278）や賃借権（604）のような制限がないので、永久地上権も認められており（大判明36.11.16）、100年の存続期間も有効である。

物

権

**❺**
用
益
物
権

## 206 □□□ 平28-10-4

地上権者が土地の所有者に定期の地代を支払わなければならない
地上権につき、地上権の設定行為で50年より長い存続期間を定め
たときは、その地上権の存続期間は50年となる。

## 207 □□□ 平3-11-2（平26-10-ア）

地上権の場合にも、賃借権の場合にも、地代ないし賃料の支払を
要件とする有償契約である。

## 208 □□□ 令3-10-ア

Aが、Bの所有する甲土地に、定期の地代を支払うことを約して竹
木の所有を目的とする地上権の設定を受けている場合には、不可
抗力によって地代より少ない収益しか得られなかったときであっ
ても、AはBに対し、地代の減額を請求することができない。

## 209 □□□ 平28-10-1（平29-10-イ）

地上権者が土地の所有者に定期の地代を支払わなければならない
地上権につき、地上権者は、設定行為で存続期間を定めなかった
ときは、いつでもその権利を放棄して、放棄後に期限の到来する
地代の支払義務を免れることができる。

## 210 □□□ 平11-12-4

地上権者がその土地の上に有する建物を第三者に賃貸している場
合、地上権者と土地所有者が地上権を合意により消滅させても、
これを建物の賃借人に対抗することはできない。

**✕ 206**

地上権の存続期間については、短期・長期共に制限はなく、設定契約により存続期間を100年と定めることも、永久とすることもできる（大判明36.11.16）。

**✕ 207**

地上権では対価は必ずしもその要素ではなく（266）、地上権成立の要件ではない。これに対して賃借権の場合は、対価を要素とする有償契約である（601）。

**○ 208**

地上権者が土地の所有者に定期の地代を支払わなければならない場合、地上権者は、不可抗力により収益について損失を受けたときであっても、地代の免除又は減額を請求することができない（266Ⅰ・274）。

**✕ 209**

設定行為で地上権の存続期間を定めなかった場合において、別段の慣習がないときは、地上権者は、いつでもその権利を放棄することができる（268Ⅰ本文）。ただし、地代を支払うべきときは、1年前に予告をし、又は期限の到来していない1年分の地代を支払わなければならない（268Ⅰ但書）。

**○ 210**

土地の賃貸人と賃借人が賃貸借契約を合意解除しても、特段の事情のない限り、土地の賃貸人は合意解除をもって賃借人の所有する地上建物の賃借人に対抗することができない（最判昭38.2.21）。

物　権

❺ 用益物権

竹木の所有を目的とする地上権の地上権者が、その目的である土地に作業用具を保管するための小屋を建てた場合において、当該地上権が消滅したときは、当該地上権者は、その土地の所有者に対し、当該小屋を時価で買い取るよう請求することができる。

地上権者が土地の所有者に定期の地代を支払わなければならない地上権につき、竹木の所有を目的とする地上権の地上権者は、その権利が消滅した時には、土地上に植林した竹木を収去する権利を有するが、土地を原状に復する義務は負わない。

地上権者が土地の所有者に定期の地代を支払わなければならない地上権につき、地上権者が引き続き2年以上地代の支払を怠ったときは、その土地の所有者は、地上権の消滅を請求することができる。

対抗要件を備えた地上権が設定されている土地の下に地下駐車場を所有するための地上権を設定しようとする場合には、その地上権者の承諾を得る必要がある。

対抗要件を備えた通行地役権が設定されている土地の下に地下駐車場を所有するための地上権を設定しようとする場合には、その通行地役権者の承諾を得る必要はない。

× **211**

借地権の存続期間が満了した場合において、契約の更新がないときは、借地権者は、借地権設定者に対し、建物その他借地権者が権原により土地に附属させた物を時価で買い取るべきことを請求することができる（借地借家13Ⅰ）。しかし、建物の所有を目的としない地上権については、借地借家法の適用がないため（借地借家1参照）、地上権者に買取請求権は認められていない。

× **212**

地上権者は、その権利が消滅した時に、土地を原状に復してその工作物及び竹木を収去することができる（269Ⅰ本文）。そして、収去権が権利である一方、地上権消滅により、地上権者は土地上に工作物等を設置する権限を失っていることから、当該工作物等を収去して土地を原状に回復する義務も負う。

○ **213**

地上権者が土地の所有者に定期の地代を支払わなければならない場合において、地上権者が引き続き2年以上地代の支払を怠ったときは、土地の所有者は、地上権の消滅を請求することができる（266Ⅰ・276）。

○ **214**

対抗要件を備えた地上権が設定されている土地の下に区分地上権を設定する場合は、地上権者の承諾を得る必要がある（269の2）。

× **215**

対抗要件を備えた通行地役権が設定されている土地の下に区分地上権を設定する場合は、通行地役権者の承諾を得る必要がある（269の2）。

## 216 □□□ 平26-10-ア改題

永小作権は、無償のものとして設定することができない。

## 217 □□□ 平26-10-イ改題

永小作権は、その権利のみを目的とする抵当権を設定することができる。

## 218 □□□ 平26-10-ウ改題

永小作権は、50年を超える存続期間を定めて設定することができない。

## 219 □□□ 平26-10-エ改題

対抗要件を備えた永小作権が設定されている土地の下に地下駐車場を所有するための地上権を設定しようとする場合には、その永小作人の承諾を得る必要がある。

---

## 地役権

## 220 □□□ 平26-10-イ改題

地役権は、その権利のみを目的とする抵当権を設定することができない。

○ **216**

永小作権は有償でなければならない（270）。

○ **217**

永小作権を目的として抵当権を設定することができる（369Ⅰ・Ⅱ）。

○ **218**

永小作権の存続期間は、短期及び長期ともに法定されており、20年以上50年以下とされ、50年より長い存続期間を設定契約で定めた場合には、50年に短縮される（278Ⅰ）。

○ **219**

対抗要件を備えた永小作権が設定されている土地の下に区分地上権を設定する場合は、永小作権者の承諾を得る必要がある（269の2）。

○ **220**

地役権のみを目的として抵当権を設定することはできない（281Ⅱ）。

## 221 □□□

甲土地を所有しているＡが、Ｂ所有の乙土地上に通行地役権の設定を受けた。その後、ＣがＡから甲土地を買い受けた場合において、Ｃが乙土地上の通行地役権を取得するためには、甲土地の売買契約において別段の定めをする必要はない。

## 222 □□□

地役権は、要役地の所有権に対して随伴性を有する。しかし、設定行為で別段の定めをすれば、要役地の所有権と共に移転しないものとすることも可能である。

## 223 □□□

要役地の所有権とともに地役権が移転した場合、要役地の所有権の移転の登記がされていても、地役権の移転の登記をしていなければ、地役権の移転を受けた者は、これを第三者に対抗することができない。

## 224 □□□

甲土地を所有するＡは、Ｂが所有する乙土地を通行する権利を有している。Ａがこの通行権を甲土地の所有権から分離して譲渡することができるかは、この通行権が通行地役権であるか相隣関係に基づく囲繞地通行権であるかによって結論が異なる。

○ **221**

地役権は、要役地の所有権に従たるものとして、**要役地所有権と
ともに移転し、又は要役地について存する他の権利の目的となる**
（281Ⅰ本文）。

○ **222**

地役権は、要役地の所有権に従たるものとして、要役地所有権と
ともに移転し、又は要役地について存する他の権利の目的となる
（281Ⅰ本文）。ただし、設定行為で、地役権は要役地の所有権と
ともに移転しない旨の**別段の定めをすることも可能である**（281
Ⅰ但書）。

× **223**

要役地の所有権移転登記があれば、その地役権の移転を第三者に
**対抗することができる**（大判大13.3.17）。

× **224**

通行地役権は、要役地から分離して**譲渡することはできない**（281
Ⅱ）。また、囲繞地通行権（210）も、所有権の内容として当然
に認められるものであるから土地所有権から分離して**譲渡するこ
とはできない**。

A及びBは、甲土地を共有しているが、隣接する乙土地の所有者C
との間に、甲土地の利用のために乙土地を通行する旨の地役権設
定契約を締結した。AがCとの間で、甲土地に対する自己の持分に
ついて地役権設定契約を解除する旨合意しても、その合意は、効
力を生じない。

土地の共有者の一人が時効によって地役権を取得したときは、他
の共有者も、これを取得する。

要役地が数人の共有にかかわる場合、共有者の1人が地役権を行
使して消滅時効が更新されたときは、他の共有者の時効も更新す
る。

地役権は、要役地と承役地が隣接していない場合には設定するこ
とができない。

地役権は、50年を超える存続期間を定めて設定することができる。

地役権を設定する際には、地役権者が承役地の所有者に対して支
払うべき土地使用の対価の額を定めなければならない。

○ **225**

要役地又は承役地が共有である場合、要役地又は承役地の共有者は自己の持分についてだけ地役権を消滅させることはできない（282Ⅰ・地役権の不可分性）。

○ **226**

共有者の一人が時効によって地役権を取得したときは、他の共有者もまたこれを取得する（284Ⅰ）。

○ **227**

要役地が数人の共有に属する場合にその一人のために時効の更新事由があるときは、その更新の効力は要役地の他の共有者全員に及ぶ（292）。

× **228**

地役権は、設定行為によって定めた目的に従い、他人の土地を自己の土地の便益に供する権利であるため、常に要役地と承役地の存在を前提とするが、両土地が互いに隣接している必要はない。

○ **229**

地役権の存続期間については、短期及び長期ともに制限はない（大判明36.11.16）。

× **230**

地役権については、対価は必ずしもその要素ではない。

## 231 □□□                                      平20-12-イ

要役地が数人の共有に属する場合、各共有者は、単独で、承役地の所有者に対して地役権の設定の登記の手続を請求することができる。


## 232 □□□                              平23-12-イ（平28-7-ウ）

A所有の甲土地のために、B所有の乙土地の一部に通行を目的とする地役権が設定され、BがDに乙土地を譲渡した。AがDに対し、登記なくして地役権を対抗するには、BがDに乙土地を譲渡した時点で、乙土地がAによって継続的に通路として使用されていることが客観的に明らかであり、かつ、Dが地役権設定の事実を認識していなければならない。


## 233 □□□                                      平23-12-ウ

地役権者が承役地の譲受人に、登記なくして対抗できる場合、譲受人に対して、地役権を有することの確認を請求することはできるが、当該権利に基づき地役権の設定の登記の手続を請求することはできない。


## 234 □□□                        平31-6-オ（平23-12-エ、平27-11-ウ）

他人の土地を20年間通路を開設することのないまま通行した隣地の所有者は、その他人の土地について、通行地役権を時効により取得することができる。

**○** **231**

共有物の保存行為は、各共有者が単独ですることができる（252
Ⅴ）。この点、地役権の設定登記の手続は保存行為に該当するため、
要役地が数人の共有に属する場合、各共有者は単独で、承役地の
所有者に対して地役権設定の登記の手続を請求することができ
る。

**×** **232**

AがDに登記なくして地役権を対抗することができるためには、
DがAについて乙土地を継続的に通路として使用している事実を
認識していたか又は認識することが可能であったことで足り、地
役権設定の事実を認識していた場合に限らない（最判平10.2.13
参照）。

**×** **233**

地役権者は、譲受人に対して、地役権を有することの確認の請求
だけでなく、当該権利に基づき地役権の設定の登記の手続を請求
することができ、譲受人はこれに応ずる義務を負う（最判平
10.12.18）。

**×** **234**

通行地役権の時効取得に関し、ここにいう「継続」の要件を満た
すためには、承役地となるべき他人所有の土地の上に、要役地所
有者によって通路が開設されることを要する（最判昭30.12.26）。

地役権を時効によって取得した者は、その登記をしなければ、時効完成時の承役地の所有者に対して地役権の時効取得を対抗することができない。

Aが所有する甲土地にBが通行地役権を有している場合、Cが甲土地にはBの通行地役権の負担がないものとして占有を継続して甲土地を時効取得したときは、Bの通行地役権は消滅する。

地役権者がその権利の一部に関して地役権を行使すれば、権利を行使していない部分についても時効により消滅しない。

甲土地を共有しているA及びDが、B所有の乙土地上に通行地役権の設定を受けていたという事例において、その後、Aが甲土地に対する自己の持分をBに譲渡した場合、その持分についての通行地役権は混同により消滅することはない。

地役権は、一定の範囲において承役地に直接の支配を及ぼす物権であるから、地役権者は、妨害排除請求権、妨害予防請求権及び返還請求権を有する。

× **235**

時効完成時の承役地の所有者は時効の当事者に該当するため、地役権の時効取得を登記なくして対抗することができる（大判大7.3.2）。

○ **236**

承役地の占有者が取得時効に必要な要件を具備する占有を継続したときには、これによって承役地上の地役権は消滅する（289）。なお、時効取得の基礎となった占有が、地役権の存在を容認したものである場合、承役地の取得時効の完成によって地役権は消滅しない（大判大9.7.16）。

× **237**

地役権者がその権利の一部に関してのみ行使していた場合、行使していない部分のみ時効により消滅する（293）。

○ **238**

要役地が共有関係にある場合、共有者の一人は、その持分についてのみ、その要役地のために存在する地役権を消滅させることはできない（282 I）。

× **239**

地役権者は、地役権に基づいて承役地に対する妨害排除請求権及び妨害予防請求権を有する。しかし、地役権者は承役地を占有するわけではないから、承役地の返還請求権は有しない。

設定行為により、承役地の所有者が自己の費用で地役権の行使のために工作物の修繕をする義務を負担したときは、当該承役地の所有者は、いつでも、当該地役権に必要な土地の部分の所有権を放棄して地役権者に移転し、その義務を免れることができる。

要役地の地上権者又は賃借人は、いずれも地役権を行使することができる。

Ａが所有する甲土地を承役地とし、Ｂが所有する乙土地を要役地とする通行地役権が設定されている場合において、Ｂが地役権の行使のために甲土地に通路を設置したときは、Ａは、その通路を使用することができない。

## ○ 240

設定行為又は設定後の契約により、承役地の所有者が自己の費用で地役権の行使のために工作物を設け、又はその修繕をする義務を負担した場合、承役地の所有者は、いつでも、地役権に必要な土地の部分の所有権を放棄して地役権者に移転し、当該義務を免れることができる（287・286）。

## ○ 241

地役権は要役地の所有権に従たるものとして、その所有権とともに移転し、又は要役地について存する他の権利の目的となる（281Ⅰ本文）。

## × 242

承役地の所有者は、地役権の行使を妨げない範囲内において、その行使のために承役地の上に設けられた工作物を使用することができる（288Ⅰ）。

物 権

❺ 用益物権

第**3**編

担保物権

# ⓪ 担保物権の学習にあたって

## 001 ☐☐☐　　　　　　　　　　　　　　　　　平30-12-イ

民法の規定する約定担保物権は、いずれも、優先弁済的効力を有する。

## 002 ☐☐☐　　　　　　　　　　　　　　　　　平30-12-ア

民法の規定する担保物権の中で留置的効力を有するのは、留置権のみである。

○ **001**

約定担保物権とは、当事者が合意に基づいて設定する担保物権であり、民法上、抵当権、根抵当権及び質権が規定されている。そして、抵当権、根抵当権及び質権は、いずれも優先弁済的効力を有する（342・362Ⅱ・369Ⅰ・398の2Ⅰ）。

× **002**

民法の規定する担保物権のうち、留置権及び質権は、ともに留置的効力を有する（295・347）。

担保物権

**0** 担保物権の学習にあたって

# 1 抵当権

## 抵当権設定

保証人が主たる債務者に対して将来取得することがある求償債権は、抵当権の被担保債権とすることができない。

AのBに対する金銭債権を担保するために、Cの所有する甲建物を目的とする抵当権が設定された場合、AのBに対する金銭債権をDが保証した場合において、その保証債務を履行していないときには、Dの求償権を被担保債権として甲建物を目的とする抵当権を設定することはできない。

土地に抵当権を設定すると、その土地上の樹木には原則として抵当権の効力が及ぶが、抵当権者と抵当権設定者との合意により、抵当地の上の樹木に抵当権の効力が及ばないこととすることができる。

AがBから甲土地を賃借し、その賃貸借について対抗要件が具備されている場合において、その後にAが甲土地上に所有する乙建物に抵当権を設定したという事例について、乙建物について抵当権の設定の登記がされれば、甲土地の賃借権に抵当権の効力が及ぶことについても対抗力が生じる。

×　**003**

将来発生する求償債権のためにも抵当権を設定することはできる。担保物権の成立には被担保債権の存在が前提となる（成立における付従性）が、抵当権においては成立時における付従性は緩和され、期限・条件付債権など将来の債権を目的とする抵当権の設定も有効である（大判昭7.6.1）。

×　**004**

保証人の将来取得する求償権を担保する抵当権を設定することもできる（最判昭33.5.9）。

○　**005**

抵当権は、抵当地の上に存する建物を除き、その目的である不動産に付加して一体となっている物に及ぶ（370本文）。ただし、設定行為に別段の定めがある場合は、この限りでない（370但書）。したがって、抵当権者と抵当権設定者が合意すれば、抵当地の上の樹木に抵当権の効力が及ばないこととすることができる。

○　**006**

土地賃借人が当該土地上に所有する建物について抵当権を設定した場合には、原則として、当該抵当権の効力は当該土地の賃借権にも及ぶ（最判昭40.5.4）。そして、この場合において、当該建物につき抵当権設定登記がされたときは、抵当権の効力が賃借権に及ぶことについても対抗力が生じる。

担保物権

❶　抵当権

## 抵当権の効力の及ぶ範囲

007 　　　　　　　　　　　　　　　　　　　　　平17-14-ア

土地の賃借人の所有する建物に設定された抵当権が実行された場合には、その建物の敷地の賃借権は、その土地の所有者の承諾を条件として競落人に移転する。

008 　　　　　　　　　　　　　　　　　　　　　平18-16-ウ

抵当権者は、目的不動産の賃借人が抵当権の設定前にその賃借権につき対抗要件を備えている場合であっても、その賃料に対して物上代位権を行使することができる。

009 　　　　　　　　　　　　　　　　　　　　　平28-12-ウ

AのBに対する金銭債権を担保するために、Cの所有する甲建物を目的とする抵当権が設定された場合、Cが甲建物をDに賃貸した後、Cの承諾を得てDがEに甲建物を転貸した場合には、Aは、DのEに対する甲建物の賃料債権について物上代位権を行使することができる。

010 　　　　　　　　　　　　　　　　平23-13-オ（令3-13-ウ）

Aが所有する建物について、Bが、Aに対して有する債権を被担保債権とする抵当権の設定を受けてその登記をした後、Cが当該建物を賃借した。Bは、抵当権の被担保債権についてAに債務不履行があるか否かにかかわらず、AのCに対する賃料債権について物上代位権を行使することができる。

**×** **007**

借地権は建物の従たる権利であり、建物についての抵当権の効力は借地権にも及ぶ。そのため、賃借地上の建物が抵当権の実行により競落された場合、原則として賃貸人の承諾なくして建物敷地の賃借権は建物所有者と競落人の間では競落人に移転する（最判昭40.5.4）。

**○** **008**

抵当権は、その目的物の賃貸によって債務者が受けるべき金銭等に対しても行使することができる（372・304）。そして、抵当権に基づく物上代位権は、抵当権の設定前に対抗要件を備えている賃借権の賃料に対しても行使することができる（最判平元.10.27参照）。

**×** **009**

抵当不動産の賃借人が当該不動産を転貸している場合、抵当権者は、抵当不動産の賃借人を所有者と同視することを相当とする場合を除き、賃借人が取得すべき転貸賃料債権について物上代位権を行使することができない（最決平12.4.14）。

**×** **010**

抵当権は物上代位性を有し（372・304）、目的物から生じる賃料も物上代位の対象となる（最判平元.10.27）。物上代位権行使の要件として差押えが必要であるが、差押えは抵当権の被担保債権について債務不履行に陥っていなければすることができない。

## 011 □□□ 平25-12-2

Aが自己所有の不動産にCのために抵当権を設定し、その旨の登記をした後に、当該不動産をBに賃貸した場合において、Bは、抵当権者Cが物上代位権を行使して賃料債権の差押えをする前は、抵当権の設定の登記の後にAに対して取得した債権と賃料債権との相殺をもって、Cに対抗することができる。

## 012 □□□ 平30-14-エ

AのBに対する金銭債権を担保するために、B所有の甲土地及びその上の乙建物に抵当権が設定され、その旨の登記をした後に、CがBから乙建物を賃借して使用収益していた場合において、BのAに対する被担保債務につき債務不履行が生じた場合、その後にBがCから受領した乙建物の賃料は、Aに対する不当利得となる。

## 013 □□□ 令3-13-ウ

建物の抵当権者による当該建物の賃料請求権に対する物上代位権の行使は、被担保債権について債務不履行がなくても、することができる。

## 014 □□□ 平25-12-3

買戻特約付売買の買主Aから目的不動産につき抵当権の設定を受けたBは、売主Cの買戻権の行使によってAが取得した買戻代金債権について、物上代位権を行使することができる。

## ○ 011

物上代位権の行使としての差押えがされた後は抵当権の効力は賃料債権に及ぶが、差押えがされる前においては賃借人がする相殺は何ら制限されるものではない（最判平13.3.13参照）。

## × 012

抵当権は、その担保する債権について不履行があったときは、その後に生じた抵当不動産の果実に及ぶ（371）。もっとも、債務不履行後に生じた果実であっても、抵当不動産の所有者が既に収受したものについては、抵当権の効力は及ばないため、これを不当利得として返還する必要はない。

## × 013

抵当権は、その担保する債権について不履行があったときは、その後に生じた抵当不動産の果実に及び（371）、債務不履行前においては、抵当権の効力は果実には及ばない。

## ○ 014

抵当権者は、抵当権設定者の買戻権行使により生じる買戻代金債権に対して物上代位することができる（最判平11.11.30）。

担保物権

❶ 抵当権

建物を目的とする抵当権の抵当権者がその建物の賃料債権に物上
代位権を行使するためには、賃料債権の差押えをする必要がある
が、他の債権者によって既に差押えがされている場合には、抵当
権者は、重ねて差押えをする必要はない。

Aがその所有する甲土地にBのために抵当権（以下「本件抵当権」
という。）を設定し、その登記がされた後に、Cが甲土地をAから
賃借して甲土地上に乙建物を建築した。甲土地の抵当権者はB以
外になく、Cの賃借権は登記されている。本件抵当権の被担保債
権について不履行があったときは、Bは、不履行の後に生じたAの
Cに対する賃料債権を、差し押さえることなく直接取り立てること
ができる。

建物を目的とする抵当権の抵当権者は、その建物の賃料債権が譲
渡され、第三者に対する対抗要件が備えられた後であっても、そ
の賃料債権を差し押さえて物上代位権を行使することができる。

## 015

抵当権者は、抵当不動産の賃料債権についても、物上代位権を行使することができるが、その払渡し又は引渡しの前に差押えをしなければならない（372・304Ⅰ）。この差押えの意義は、第三債務者の二重弁済を防ぐためである（最判平10.1.30）から、抵当権者の物上代位権が一般債権者の差押えに優先するためには、第三債務者にその優先権を公示するために抵当権者自ら差押えをする必要がある。

抵当権は、その目的物の売却、賃貸、滅失又は損傷によって債務者が受けるべき金銭その他の物に対しても、行使することができる（372・304Ⅰ本文）。この点、抵当権者が物上代位の目的債権から優先弁済を受けるためには、その払渡し又は引渡しの前に差押えをしなければならない（372・304Ⅰ但書）。

物上代位における差押えの意義は、第三債務者を二重弁済の危険から保護することにあるため、このような趣旨に照らすと304条にいう「払渡し又は引渡し」には債権譲渡は含まれず、債権が譲渡され対抗要件が具備された後においても、その弁済前であれば、抵当権者は目的債権につき物上代位権を行使することができる（最判平10.1.30）。

担保物権

❶ 抵当権

**018** □□□             平24-13-オ（平28-12-オ）

敷金がある抵当不動産の賃貸借契約に基づく賃料債権を抵当権者が物上代位権を行使して差し押さえた場合において、その賃貸借契約が終了し、目的物が明け渡されたときは、賃料債権は、敷金の充当によりその限度で当然に消滅する。

**019** □□□             平25-12-5

抵当権の設定の登記がされた後、抵当権設定者Ａが抵当不動産の買収に伴う補償金債権を取得した場合において、当該補償金債権をＡの一般債権者Ｂが差し押さえて転付命令を得て、その転付命令が第三債務者に送達された後であっても、当該抵当権の抵当権者Ｃは、当該補償金債権を差し押さえて物上代位権を行使することができる。

**020** □□□             平29-15-ウ

甲が、その所有する動産を乙に対する譲渡担保の目的とした場合において、甲が乙の許諾を得てその動産を丙に売却したときは、乙は、その売却代金に対して物上代位権を行使することができない。

**021** □□□             平13-11-エ（平25-13-エ）

抵当不動産の第三取得者は不動産競売における抵当権の目的物である不動産を買い受けることができるが、物上保証人は買い受けることができない。

○ **018**

敷金が授受された賃貸借契約が終了し、目的物が明け渡されたときは、抵当権者が物上代位権を行使し差し押えた賃料債権は、敷金の充当によりその限度で当然に消滅する（622の2、最判平14.3.28）。

× **019**

転付命令に係る金銭債権が、抵当権の物上代位の目的となりうる場合であっても、転付命令が第三債務者に送達される時までに抵当権者が被転付債権の差押えをしなかったときは、転付命令の効力は妨げられず、被転付債権は、第三債務者への送達のときをもって債権及び執行費用の弁済に充当されたものとみなされ、抵当権者が被転付債権について抵当権の効力を主張することはできない（最判平14.3.12）。

× **020**

乙が、甲に対し、乙の事業に要する資金を貸し付けるとともに、甲所有の動産に譲渡担保権の設定を受けた上、当該動産につき甲に処分権限を与えたところ、甲が、当該商品を第三者に転売した後に破産手続開始決定を受けた場合、乙は、譲渡担保権に基づく物上代位権の行使として、転売された当該商品の売買代金債権を差し押さえることができる（最決平11.5.17）。

× **021**

抵当不動産の第三取得者は、不動産競売における抵当権の目的物である不動産を買い受けることができる（390）。また、民事執行法は債務者の買受けを禁止しているが（民執188・68）、その他の者については何ら制限していないので、物上保証人も買い受けることができる。

担保物権

❶ 抵当権

## 022 ☐☐☐　　　　　　　　　　　　　　　　平26-12-イ

AのBに対する貸金債権を担保するために、AがC所有の甲建物に抵当権の設定を受けた場合において、当該貸金債権の弁済期が到来したときは、Cは、Bに対し、あらかじめ求償権を行使することができる。

## 023 ☐☐☐　　　　　　　　　　　　　　　　平25-13-オ

抵当不動産の第三取得者は、抵当不動産について必要費を支出した後に抵当不動産が競売された場合において、競売代金が抵当権者に交付されたため、当該競売代金から必要費の償還を受けられなかったときは、抵当権者に対し、必要費相当額の不当利得返還請求権を有する。

## 024 ☐☐☐　　　　　　　　　　　　　　　　平20-14-エ

抵当権者が抵当不動産の占有者に対し抵当不動産の明渡請求をしたにもかかわらず、その占有者が理由なくこれに応じないで違法に占有を継続する場合、判例は、抵当権者は、抵当不動産を自ら使用することはできないから、抵当権者は抵当不動産の占有者に対し賃料額相当の損害賠償金の支払を請求することができないとしている。

## × 022

保証人は、主たる債務者の委託を受けて保証をした場合において、460条に掲げる各号に該当するときは、主たる債務者に対して、あらかじめ、求償権を行使することができる(460各号)。しかし、委託を受けた物上保証人は、被担保債務の弁済期が到来しても、債務者に対してあらかじめ求償権を行使することができない（最判平2.12.18）。

## ◯ 023

抵当不動産の第三取得者は、抵当不動産について必要費又は有益費を支出したときは、196条の区別に従い、抵当不動産の代価から、他の債権者より先にその償還を受けることができる(391)。そして、第三取得者が償還請求権を有しているにもかかわらず、抵当不動産の売却代金が抵当権者に交付されたため、償還を受けられなかったときは、第三取得者は、抵当権者に対し、不当利得返還請求権を取得する（最判昭48.7.12）。

## ◯ 024

抵当権者は抵当不動産に対する第三者の占有により賃料相当額の損害を被るものではないというべきであり、不法行為に基づき賃料相当額の損害賠償を認めていない（最判平17.3.10）。

担保物権

❶ 抵当権

AのBに対する金銭債権を担保するために、Cの所有する甲建物を目的とする抵当権が設定された場合、Cの行為により甲建物の価格が減少しても、甲建物の残存価値がAのBに対する金銭債権の弁済のために十分である場合には、Aは、Cに対して不法行為に基づく損害賠償請求をすることができない。

一般債権者が抵当不動産を差し押さえたときは、抵当権者は、第三者異議の訴えにより、その強制執行の不許を求めることができる。

債務者が、抵当権の目的物である不動産を損傷したときは、抵当権者は、被担保債権の弁済期の到来前であっても、抵当権を実行することができる。

AのBに対する貸金債権を担保するために、AがC所有の甲建物に抵当権の設定を受けた場合において、Cは、当該貸金債権の元本に加えて、満期となった最後の2年分の利息をAに支払うことにより、当該抵当権を消滅させることができる。

第三者が抵当権の目的物を損傷した場合、抵当権者が抵当権侵害により不法行為に基づく損害賠償を請求するためには、目的物の価値の減少により被担保債権の満足が得られなくなる見込みがあることを要する（大判昭3.8.1）。

× **026**

一般債権者が債務者所有の不動産につき強制執行の申立てをした場合、当該不動産上の抵当権者は、第三者異議の訴えを提起して強制執行を排除することはできない。

○ **027**

債務者が担保を損傷した場合には期限の利益を主張することができないので（137②）、債権者は被担保債権の弁済期到来前であっても抵当権を実行することができる。

× **028**

抵当権設定者である債務者や物上保証人は元本債権、満期となった利息及び損害金などの全額を弁済しなければ抵当権を消滅させることはできない（375参照、大判昭15.9.28）。

担保物権

❶ 抵当権

## 抵当権と利用権との調和を図る制度

**029** □□□　平6-13-ウ（平元-11-ウ、平12-16-1、平21-14-イ）

自己所有の土地上に建物を所有するBが、土地及び建物の双方についてAのために抵当権を設定した。この場合に、抵当権者Aの申立てによる競売によって、土地と建物の所有者が異なるに至ったときは、法定地上権が成立する。

**030** □□□　平12-16-2

Aは、土地とその地上建物を所有しており、建物に抵当権を設定した後、建物をBに譲渡して借地権を設定した。その後、建物について抵当権が実行され、Cが買受人となった。この場合、Cのために法定地上権は成立しない。

**031** ■□□□　平17-15-オ（平21-14-ア）

Aは、甲土地及びその土地上に存在する乙建物を所有し、甲土地にBのための抵当権を設定した。この場合において、A及びBの間で、将来抵当権が実行されても、乙建物のための法定地上権を成立させない旨の特約をしたときであっても、法定地上権が成立する。

**032** □□□　平元-11-ア（平23-14-イ、平26-13-ア、平29-13-ア）

土地とその上の建物を所有している甲が土地のみに抵当権を設定したが、建物は未登記であった場合において、競売により乙が土地を買い受けたときは、法定地上権は成立しない。

土地及びその上に存する建物が同一の所有者に属する場合において、その土地又は建物につき抵当権が設定され、その実行により所有者を異にするに至ったときは、その建物について、地上権が設定されたものとみなされる（388）。

× **030**

同一人の所有に属する土地と建物のうち、建物にだけ抵当権が設定された後に、建物が譲渡され、その後建物について抵当権が実行された場合にも、388条の文言どおり、建物の買受人のために法定地上権が成立する（大判昭8.3.27参照）。

○ **031**

将来抵当権が実行されても建物のための法定地上権を成立させない旨の特約をしたときであっても、法定地上権の成立を特約で排除することはできない（大判明41.5.11）。

× **032**

土地に抵当権を設定した当時、土地上に建物が存在すれば、その建物が未登記であっても、法定地上権は成立する（大判昭14.12.19）。

担保物権

❶ 抵当権

## 033 □□□ 平28-13-ア

Aが、その所有する更地である甲土地にBのために抵当権を設定した後、甲土地上に乙建物を建築し、その後、抵当権が実行され、Cが甲土地の所有者になった。この場合、AとBが抵当権設定当時、将来Aが甲土地上に建物を建築したときは競売の時に地上権を設定したものとみなすとの合意をしていたとしても、乙建物のための法定地上権は成立しない。

## 034 □□□ 平21-14-ウ (平12-16-3、平17-15-ウ)

Aが自己の所有する土地上に建つ建物をCから買い取り、建物についてAへの所有権の移転の登記がされる前に、AがBのために当該土地に抵当権を設定したところ、当該抵当権が実行されて、Dが買受人となった場合、第388条は、「土地及びその上に存する建物が同一の所有者に属する場合において」と規定しており、抵当権の設定当時、建物はAが所有していたので、法定地上権は成立する。

## 035 □□□ 平元-11-イ (平12-16-4、平17-15-ア、平21-14-エ)

更地を所有している甲が、更地に抵当権を設定した後、抵当権者の承諾を得て更地の上に建物を建築した場合において、競売により乙が土地を買い受けたときは、法定地上権は成立しない。

## 036 □□□ 平26-13-オ

A所有の甲土地上にB所有の乙建物がある場合において、BがCのために乙建物に第1順位の抵当権を設定した後、BがAから甲土地の所有権を取得し、更にDのために乙建物に第2順位の抵当権を設定し、その後、Cの抵当権が実行され、Eが競落したときは、乙建物について法定地上権が成立する。

○ **033**

土地に抵当権を設定する際に、抵当権の設定当事者間で、将来建物を建築したときは地上権を設定したものとみなすとの合意をした場合であっても、抵当権設定後に築造された建物について法定地上権は成立しない（大判大7.12.6、大判大4.7.1参照）。

○ **034**

抵当権設定時点において、登記上は土地と建物の所有者が異なっていたとしても、実体上土地及び建物が同一人に帰属していれば、法定地上権は成立する（最判昭48.9.18）。したがって、抵当権設定時点では土地及び建物の実体上の所有者はＡであるため、建物について所有権移転登記がされていなかったとしても、法定地上権は成立する。

○ **035**

更地の上に抵当権を設定し、その後、抵当権者の承諾を得て更地上に建物を建築した場合には、法定地上権は成立しない（最判昭51.2.27）。

○ **036**

土地と建物の所有者が別人であり、建物に１番抵当権を設定したときには法定地上権の要件が満たされていなくても、２番抵当権を設定したときに、土地と建物の所有者が同一人となり法定地上権の要件を満たしていれば、１番抵当権者の申立てによる競売が行われたときは、法定地上権が成立する（大判昭14.7.26）。

Aが所有する土地及び同土地上の建物双方について、Bのために共同抵当権が設定された後、当該建物が取り壊され、建物が再築されたが、当該新築建物には抵当権は設定されなかった場合、土地のみについて抵当権が実行されてCが買受人となったとき、法定地上権が成立する。

Aが、その所有する甲土地にBのために抵当権を設定した当時、甲土地上にA及びCが共有する乙建物が存在し、その抵当権が実行され、Dが甲土地の所有者になったときは、乙建物のための法定地上権が成立する。

A所有の甲土地上にA所有の乙建物がある場合において、AがBのために乙建物に抵当権を設定し、更にCのために甲土地に抵当権を設定した後、まずBの抵当権が実行されてDが乙建物を競落し、その後、Cの抵当権が実行されてEが甲土地を競落したときは、甲土地の当該競落により、乙建物について法定地上権は成立しない。

Aは、A及びBの共有に係る乙建物が存在するA所有の甲土地に抵当権を設定した。この場合において、その抵当権が実行され、建物の所有者と土地の所有者とを異にするに至ったときは、乙建物のうちAの持分に係る部分のためにのみ法定地上権が成立する。

**×** **037**

所有者が土地及び地上建物に共同抵当権を設定した後、建物が取り壊され、建物が新築された場合、新築建物の所有者が土地の所有者と同一であり、かつ、抵当権者が新築建物について土地と同順位の共同抵当権の設定を受けた等特段の事情のない限り、新築建物のために法定地上権は成立しない（最判平9.2.14）。

**○** **038**

単独所有の土地上に土地の所有者と他の者が建物を共有している場合において、土地に抵当権が設定され、その後、抵当権の実行により第三者が土地を買い受けたときは、法定地上権が成立する（最判昭46.12.21）。

**×** **039**

同一所有者に属する土地及び建物がそれぞれ別の抵当権者のために抵当権が設定され、まず建物について抵当権が実行された後に土地について抵当権が実行された場合には、土地についての競売により、地上建物のために法定地上権が成立する（最判平11.4.23）。

**×** **040**

建物が共有状態にある場合、その建物全部について法定地上権が成立する（最判昭46.12.21）。

担保物権

**❶** 抵当権

Ａ所有の甲土地上にＡ及びＢの共有である乙建物が存在する。乙建物のＡの持分に抵当権が設定され、抵当権の実行により、Ｃが当該持分を取得した場合、法定地上権が成立する。

Ａ、Ｂ及びＣ共有の甲土地上にＡ所有の乙建物があった場合において、Ａの債務を担保するため、Ａ、Ｂ及びＣが共同してＤのために甲土地の各持分に抵当権を設定したときは、Ｂ及びＣが法定地上権の成立をあらかじめ容認していたと認められない場合であっても、抵当権が実行されたときは、乙建物のために法定地上権が成立する。

Ａ及びＢの共有である甲土地上にＡ及びＢの共有である乙建物が存在する。甲土地のＡの持分に抵当権が設定され、抵当権の実行により、Ｃが当該持分を取得した場合、法定地上権が成立する。

Ｂが、借地上の自己所有の建物について、Ａのために抵当権を設定した後、競売の申立て前に敷地の所有権を取得した。この場合に、抵当権者Ａの申立てによる競売によって、土地と建物の所有者が異なるに至ったときは、法定地上権が成立する。

○ **041**

A所有の甲土地上にAB共有の乙建物が存在する場合に、乙建物のA持分について抵当権が設定され実行されたときは、判例（最判昭46.12.21）の趣旨に照らし法定地上権が成立する。

× **042**

A、B及びC共有の土地及びその土地上にAが所有する建物がある場合において、Aの債務を担保するため、その土地のA持分に抵当権を設定したときは、当該抵当権が実行されたとしても、B及びCが法定地上権の発生をあらかじめ容認している場合を除いて、当該土地について法定地上権は成立しない（最判昭44.11.4、最判昭29.12.23）。

× **043**

AB共有の甲土地上にAB共有の乙建物が存在する場合において、甲土地のA持分について抵当権が設定され実行されたときは、法定地上権は成立しない（最判平6.4.7）。

× **044**

抵当権設定当時において土地と建物の所有者が異なる場合は、その土地又は建物に対する抵当権実行による競売の際に、その土地と建物の所有権が同一の者に帰していたとしても、法定地上権は成立しない（最判昭44.2.14）。既に存在している建物のための土地利用権が混同の例外として存続するため、法定地上権を成立させる必要がないからである。

**❶ 抵当権**

045 ▢▢▢　　　　　　　　　　平6-13-オ（平17-15-イ、平26-13-イ）

Bが、第三者所有の建物の敷地となっている自己所有の土地について、Cのために抵当権を設定した後、建物の所有権を取得し、土地及び建物についてAのために抵当権を設定した。この場合に、抵当権者Aの申立てによる競売によって、土地と建物の所有者が異なるに至ったときは、法定地上権が成立する。

046 ▢▢▢　　　　　　　　　　　　　　　　　　　平25-14-イ

A所有の甲土地上にB所有の乙建物があった場合において、AがCのために甲土地に第1順位の抵当権を設定した後、Aが乙建物の所有権を取得し、その後、AがDのために甲土地に第2順位の抵当権を設定したものの、Cの抵当権がその設定契約の解除により消滅したときは、Dの抵当権が実行され、Eが競落したとしても、乙建物について法定地上権は成立しない。

047 ▢▢▢　　　　　　　　平23-14-ア（平16-16-ア、平28-13-イ）

Aが、その所有する更地である甲土地にBのために抵当権を設定した後、甲土地上に乙建物を建築し、その後、Cのために甲土地に抵当権を設定した場合において、Cの申立てに基づいて抵当権が実行されたときは、乙建物のために法定地上権が成立する。

048 ▢▢▢　　　　　　　　　　　　　　　　　　　平26-13-エ

A所有の甲土地が更地であった場合において、AがBのために甲土地に第1順位の抵当権を設定した後、Aが甲土地上に乙建物を建築し、Cのために甲土地に第2順位の抵当権を設定すると同時に、Bの抵当権とCの抵当権の順位を変更し、その後、Cの抵当権が実行され、Dが競落したときは、乙建物について法定地上権が成立する。

**✕ 045**

土地に先順位抵当権が設定された当時に、土地と建物の所有者が異なっていた場合には、その後土地と建物が同一所有者に帰した後に後順位抵当権が設定され、抵当権が実行されても法定地上権は成立しない（最判平2.1.22）。

**✕ 046**

土地に1番抵当権が設定された当時に同一の所有者に属していなかった土地と建物が、2番抵当権設定時には同一の所有者に属していた場合に、2番抵当権が設定された後に1番抵当権が消滅し、順位が上昇した2番抵当権が実行されたときには、法定地上権が成立する（最判平19.7.6）。

**✕ 047**

更地に1番抵当権が設定された後に建物が築造され、その後、その土地に2番抵当権が設定され、2番抵当権が実行された場合、法定地上権は成立しない（最判昭47.11.2）。

**✕ 048**

1番抵当権設定当時は更地であったが、2番抵当権設定時までに土地所有者によって建物が建築された後、1番抵当権と2番抵当権の順位を変更し、2番抵当権が1番抵当権に優先することになった場合において、土地と建物が別個に売却されたときであっても、法定地上権の成立は認められない（最判平4.4.7）。

Ａ所有の甲土地にＢのために抵当権が設定された当時、甲土地上に乙建物の建築が着手されていたものの、いまだ完成していなかった場合において、Ｂが更地としての評価に基づき当該抵当権を設定したことが明らかであるときは、たとえＢが乙建物の建築を承認していたとしても、抵当権の実行により、乙建物について法定地上権は成立しない。

同一の所有者に属する土地及びその土地の上に存在する建物が同時に抵当権の目的となった場合において、一般債権者の申立てによる強制競売がされた結果、土地と建物の所有者を異にするに至ったときは、法定地上権は成立しない。

法定地上権の地代は、当事者の請求により裁判所が定めなければならないものではなく、当事者間の合意で定めることもできる。

抵当権の設定後に抵当地に建物が築造された場合において、抵当権者が抵当権の実行としての競売を申し立てるときは、抵当権者は、土地と共にその建物の競売を申し立てなければならない。

土地に対する抵当権設定時に建物が完成していない場合に、抵当権者が建物の築造を承認していたとしても、その抵当権が土地を更地として評価して設定されたときは、法定地上権は成立しない（最判昭36.2.10）。

抵当権の実行としての競売ではなく、一般債権者の申立てによる強制競売によっても法定地上権は成立する（大判大3.4.14）。

法定地上権が設定された場合、地代は、当事者の請求により、裁判所が定める旨を規定する388条は、当事者の協議により地代を定めることを禁止する趣旨ではなく、当事者の協議が調った場合にはそれにより、協議が調わなかったときには当事者の請求により裁判所が地代を定める趣旨である（大判明43.3.23）。

抵当権の設定後に抵当地に建物が築造されたときは、抵当権者は、土地とともにその建物を競売することができる（389本文、一括競売権）。この点、抵当権者が土地のみを競売に付するか、土地と建物とを一括競売に付すかは自由であり、一括競売は義務ではない（大判大15.2.5）。

担保物権

❶ 抵当権

053 ▢▢▢ 　　　　　　　　平7-12-ア（令2-13-エ）

更地の所有者が、その土地に抵当権を設定した後、その土地上に
建物を建築したときは、抵当権者は、土地及び建物の一括競売を
申し立て、その両方の代金から優先弁済を受けることができる。

054 ▢▢▢ 　　　　　　　　平30-14-オ（令3-13-ア）

AのBに対する金銭債権を担保するために、B所有の甲土地及び
その上の乙建物に抵当権が設定され、その旨の登記をした後に、
CがBから乙建物を賃借して使用収益していた場合において、Aの
抵当権が実行され、Dが競売により甲土地及び乙建物を買い受け
た場合、買受けの時から6か月を経過するまでは、Cは乙建物をD
に引き渡す必要がない。

055 ▢▢▢ 　　　　　　　　平24-13-エ（令2-13-オ）

抵当権者に対抗することができない賃貸借により抵当権の目的で
ある土地を競売手続の開始前から使用する者は、その土地の競売
における買受人の買受けの時から6か月を経過するまでは、その
土地を買受人に引き渡すことを要しない。

056 ▢▢▢ 　　　　　　　　平26-12-エ（平4-9-4）

AのBに対する貸金債権を担保するために、AがC所有の甲建物に
抵当権の設定を受けた場合、当該抵当権は、B及びCに対しては、
当該貸金債権と同時でなければ、時効によって消滅しない。

**×** **053**

一括競売される場合であっても、抵当権者は土地の競売代金から
のみ優先弁済を受け得るにとどまり（389Ⅰ但書）、土地及び建
物の両方の代金から優先弁済を受けることはできない。

**○** **054**

抵当権者に対抗することができない賃貸借により、抵当権の目的
である建物を競売手続の開始前から使用又は収益する者は、その
建物の競売における買受人の買受けの時から6か月を経過するま
では、その建物を買受人に引き渡すことを要しない（395Ⅰ①）。

**×** **055**

抵当権者に対抗することができない賃貸借により抵当権の目的で
ある「建物」を競売手続の開始前から使用又は収益をする者は、
その建物の競売における買受人の買受けの時から6か月を経過す
るまでは、その建物を買受人に引き渡すことを要しない（395Ⅰ
①、建物引渡猶予制度）。この点、「土地」の賃貸借については適
用されない。

**○** **056**

抵当権は、債務者及び抵当権設定者に対しては、その担保する債
権と同時でなければ、時効によって消滅しない（396）。

担保物権

**❶** 抵当権

ＡがＢから甲土地を賃借し、その賃貸借について対抗要件が具備
されている場合において、その後にＡが甲土地上に所有する乙建
物に抵当権を設定した場合、ＡとＢとの合意によって甲土地の賃貸
借契約を合意解除することはできるが、それを抵当権者に対抗す
ることはできない。

抵当権者は、先順位の抵当権がその被担保債権の弁済によって消
滅した場合には、その先順位の抵当権設定登記の抹消登記手続を
請求することができる。

建物について設定された抵当権が実行されたことにより、法定地
上権が成立する場合において、建物の買受人と土地の所有者との
間の協議が調わなかったときは、当該法定地上権の存続期間は、
20年となる。

## 抵当不動産の第三取得者の地位

不動産の先取特権及び抵当権は、当該不動産について所有権を取
得した第三者が、先取特権者又は抵当権者の請求に応じて代価を
弁済したときは、その第三者のために消滅する。

**○ 057**

借地権者が借地上に所有する建物に抵当権を設定した後に、借地権者及び借地権設定者の間で敷地の賃貸借契約が合意解除されたとしても、当該合意解除に基づく賃貸借契約の終了を抵当権者に対抗することはできない（大判大14.7.18）。

**○ 058**

被担保債権の弁済により既に消滅した先順位抵当権の設定登記が抹消されないまま登記簿上に存在する場合、後順位抵当権者は、物権的請求権に基づいて先順位抵当権者に対し、その消滅した抵当権の設定登記の抹消を請求することができる（大判大8.10.8）。

**✕ 059**

当事者が協議で定めた存続期間がないときは、法定地上権の存続期間は、30年となる（借地借家3）。

**○ 060**

抵当不動産について、所有権又は地上権を取得した第三者が抵当権者の請求に応じて代価を弁済したときは、抵当権はその第三者のために消滅する（378）。そして、この規定は不動産先取特権について準用されている（341）。

**061**　　　　　　　　平11-11-エ（平2-20-イ、平25-13-イ）

抵当不動産について競売が申し立てられた後にその不動産の所有権を取得した者であっても、消滅請求権を行使することができる。

**062**　　　　　　　　　平6-15-エ（平2-20-オ、令2-13-イ）

抵当不動産につき地上権を取得した者は、消滅請求権を行使することができるが、抵当不動産につき賃借権を取得した者は、消滅請求権を行使することができない。

**063**　　　　　　　　　　　　　　　　　　平26-12-ウ

AのBに対する貸金債権を担保するために、AがC所有の甲建物に抵当権の設定を受けた場合において、Bは、Cから甲建物を買い受けた場合には、抵当不動産の第三取得者として、抵当権消滅請求をすることができる。

**064**　　　　　　　　　　　　　　　　　　平11-11-ウ

抵当不動産について譲渡担保権の設定を受けた者であっても、消滅請求権を行使することができる。

**065**　　　　　　　　　　　　　　　平31-14-ウ（平2-20-ア）

抵当権によって担保されている債務を主債務とする保証の保証人は、抵当不動産を買い受けたときは、抵当権消滅請求をすることができる。

**066**　　　　　　　　　平31-14-エ（平6-15-オ、平25-13-ア）

停止条件付きで抵当不動産を取得した者は、停止条件が成就していない間は、抵当権消滅請求をすることができない。

## ○ 061

抵当不動産の第三取得者は、抵当権の実行としての競売による差押えの効力が発生する前に、抵当権消滅請求をしなければならない（382）。

## × 062

抵当権消滅請求権者は、抵当不動産について、所有権を取得した者である（379）。抵当不動産につき地上権又は賃借権を取得した者は、消滅請求権を行使することができない。

## × 063

抵当不動産の第三取得者は、383条の定めるところにより、抵当権消滅請求をすることができる（379）。しかし、主たる債務者、保証人及びこれらの者の承継人は、抵当権消滅請求をすることができない（380）。

## × 064

譲渡担保権者は、担保権を実行して確定的に抵当不動産を取得しない限り、消滅請求権を行使することはできない（最判平7.11.10）。

## × 065

主たる債務者、保証人及びこれらの者の承継人は、抵当権消滅請求をすることができない（380）。

## ○ 066

抵当不動産の停止条件付第三取得者は、その停止条件の成否が未定である間は、抵当権消滅請求をすることができない（381）。

担保物権

❶ 抵当権

## 067 □□□ 平31-14-オ

抵当権消滅請求は、抵当権の実行としての競売による差押えの効力が発生する前に、しなければならない。

## 068 □□□ 平19-14-オ（平2-20-エ）

抵当不動産の第三取得者が、登記をした抵当権者のうち一部の者について抵当権消滅請求をした場合には、当該一部の者の抵当権のみが消滅する。

## 069 □□□ 平19-14-イ

抵当権者が抵当権消滅請求を拒むには、第三取得者から抵当権消滅請求の書面の送付を受けた後2か月以内に抵当権を実行して競売の申立てをしなければならない。

## 070 □□□ 平25-13-ウ

抵当不動産の第三取得者から抵当権消滅請求を受けた抵当権者は、抵当権消滅請求を受けた後に申し立てた抵当権の実行としての競売の申立てを取り下げるときは、登記をしている他の抵当権者、先取特権者及び質権者の同意を得なければならない。

**○ 067**

抵当不動産の第三取得者は、抵当権の実行としての競売による差押えの効力が発生する前に、抵当権消滅請求をしなければならない（382）。

**✕ 068**

抵当不動産の第三取得者は、抵当権消滅請求をするときは、登記をした各債権者に対し、抵当権消滅請求手続の書面を送付しなければならない（383柱書）。この送付は、各債権者に対してしなければならず、一人でも送付が欠ければ、抵当権消滅請求手続の送付としては全債権者に対して無効とされる。

**○ 069**

抵当権消滅請求に対する抵当権者の対抗手段として、抵当権者に競売申立権が与えられており、競売の申立ては抵当権消滅請求の書面の送付を受けた後2か月以内にしなければならない（384①・383）。

**✕ 070**

抵当権消滅請求を受けた抵当権者が申し立てた競売について、その申立てを取り下げる際に、他の抵当権者等の承諾を要する旨の規定は存しない。

071 ☐☐☐                                   平17-14-エ

抵当権の目的である建物について、登記した賃借権に基づき競売
手続開始前から賃借して居住している者は、その賃借権が抵当権
者に対抗することができないものであっても、すべての抵当権者
がその賃借権に対抗力を与えることについて同意したときは、同意
の登記がなくても、抵当権者に対し、その賃借権を対抗すること
ができる。

072 ☐☐☐                                   平24-13-ウ

建物につき登記をした賃貸借がある場合において、その賃貸借の
登記前に当該建物につき登記をした抵当権を有する者のうち一部
の者が同意をし、かつ、その同意の登記をしたときは、その同意を
した抵当権者との関係では、その賃貸借を対抗することができる。

## 抵当権侵害

073 ☐☐☐ 平17-14-オ (平8-15-1、平13-12-オ、平20-14-ア、平20-14-イ、平28-12-イ)

第三者の不法占有により、売却価額が適正な価額より下落するお
それがあるときは、抵当権者は、所有者の不法占有者に対する妨
害排除請求権を代位行使することができるし、抵当権に基づく妨
害排除請求として、直接、不法占有者に対して明渡しを請求する
こともできる。

登記をした賃貸借は、その登記前に登記をした抵当権を有するすべての者が同意をし、かつ、その同意の登記があるときは、その同意をした抵当権者に対抗することができる(387)。したがって、抵当権者の同意の登記がなければ、自己の賃借権を対抗することができない。

賃借人は、自己に優先する抵当権者「すべて」の同意を得なければ、対抗力を取得できない(387)。

第三者が、抵当物件を不法占有している場合において、そのために、競売手続の進行が害され、適正な価額よりも売却価額が下落するおそれがあるなど、抵当権者の優先弁済請求権の行使が困難となるような状態があるときは、抵当権者は、423条の法意に従い、所有者の妨害排除請求権を代位行使することができる(最大判平11.11.24)。また、このような場合、抵当権に基づく妨害排除請求も認められる(同判例)。

担保物権

❶ 抵当権

## 074 ☐☐☐ 平24-8-2（平29-7-ア）

Aがその所有する甲建物についてBを抵当権者とする抵当権の設定の登記をした後、Cが抵当権の実行としての競売手続を妨害する目的で甲建物を賃借した場合において、Cの占有により甲建物の交換価値の実現が妨げられており、かつ、Aにおいて甲建物を適切に維持管理することを期待することができないときは、Bは、Cに対し、直接自己への甲建物の明渡しを求めることができる。

## 075 ☐☐☐ 平20-14-オ

抵当権の設定の登記がされた後に抵当不動産の所有者から占有権原の設定を受けている占有者について、判例は、抵当権は抵当不動産の所有者の使用収益を排除することができない権利であるため、抵当不動産の所有者に由来する占有権原を有するこのような占有者に対し、抵当権者は、抵当不動産の明渡しを請求することはできないとしている。

## 076 ☐☐☐ 平30-14-ウ

AのBに対する金銭債権を担保するために、B所有の甲土地及びその上の乙建物に抵当権が設定され、その旨の登記をした後に、CがBから乙建物を賃借して使用収益していた場合において、Cが抵当権設定当時から甲土地に設置されていた石灯籠を甲土地から不法に搬出しようとしているときは、Aは、Cに対し、搬出の禁止を求めることができる。

担保物権

○ **074**

抵当権に基づく妨害排除請求権の行使に当たり、抵当不動産の所有者において抵当権に対する侵害が生じないように抵当不動産を適切に維持管理することが期待できない場合には、抵当権者は、占有者に対し、直接自己への抵当不動産の明渡しを求めることができる（最判平17.3.10）。

× **075**

抵当権者は、抵当権設定登記後に抵当不動産の所有者から占有権原の設定を受けてこれを占有する者に対しても、抵当権に基づく妨害排除請求権を行使し、明渡しを請求することができる（最判平17.3.10）。

○ **076**

抵当権設定時に存在していた石灯籠は抵当権の目的である宅地の従物であり、抵当権の効力が及ぶ（最判昭44.3.28）。そして、抵当物に危害を加えようとする者がある場合、それが所有者又は第三者であるかを問わず、その者に対し、当該行為の禁止を求めることができる（大判昭7.4.20参照）。

担保物権

❶ 抵当権

## 抵当権の処分

抵当権者がその債務者の一般債権者に対して抵当権の放棄をしたときは、抵当権者は、当該一般債権者との関係では優先弁済権を主張することができない。

債務者Aに対する債権者として、A所有の甲土地の第1順位の抵当権者B（被担保債権額600万円）、第2順位の抵当権者C（被担保債権額2100万円）及び第3順位の抵当権者D（被担保債権額2400万円）がおり、また、無担保の一般債権者E（債権額400万円）がいる。甲土地の競売による配当金総額が5000万円であった。この事例において、BがEに対して抵当権を譲渡した場合において、Eが当該抵当権を実行するためには、Eの債権の弁済期が到来していれば足り、Bの債権の弁済期が到来している必要はない。

同一不動産について、甲が1番抵当権、乙が2番抵当権、丙が3番抵当権を有している。この事例において、甲が丙に抵当権の順位譲渡をする場合及び甲が丙に抵当権の順位放棄をする場合には乙の承諾は不要であるが、甲と丙が抵当権の順位変更をする場合には乙の合意が必要である。

○ **077**

抵当権者が一般債権者に対して抵当権の放棄（376Ⅰ）をしたときは、この者との関係では優先権を失う。特定の一般債権者に対して抵当権を放棄した場合、その抵当権者が本来受けるべき配当は、放棄を受ける債権者と債権額の按分比例により分配される。

× **078**

抵当権の譲渡（376Ⅰ）とは、抵当権者が、同一債務者に対する抵当権を有しない債権者のために抵当権を譲渡し、その限度で自らは無担保債権者になることである。そして、抵当権の譲受人は、自己の債権と譲渡人の債権の双方の弁済期が到来していれば、自ら抵当権を実行して、優先弁済を受けることができる。したがって、Eが抵当権を実行するためには、Eの債権とBの債権の双方の弁済期が到来していることを要する。

○ **079**

抵当権の処分の場合は中間者乙の承諾は不要であるが（376）、抵当権の順位変更の場合は必要である（374Ⅰ本文）。

担保物権

❶ 抵当権

## 共同抵当

ＡがＣに対する債権を担保するためにＣ所有の甲土地及び乙土地について共同抵当権を有し、ＢがＣに対する債権を担保するために甲土地について後順位の共同抵当権を有している場合において、Ａが乙土地の抵当権を放棄して甲土地の抵当権を実行したときは、Ｂは、Ａによる抵当権の放棄がなければ乙土地についてＡの抵当権を代位行使することができた限度で、Ａに優先して配当を受けることができる。

債務者C所有の甲土地及び乙土地を共同抵当とする先順位の抵当
権者Aが、乙土地の抵当権を放棄して甲土地の抵当権を実行した
ときは、甲土地の後順位抵当権者Bは、Aによる抵当権の放棄が
なければ乙土地についてAの抵当権を代位行使することができた
限度で、Aに優先して配当を受けることができる（大判昭
11.7.14）。

# ❷ 質権

081 □□□　　　　　　　　　　　　　　　　平14-10-ウ改題

動産質権は、被担保債権全額の弁済を受けるまで目的動産を留置することができる権利である。

082 □□□　　　　　　　　　　　　　　　　平14-10-エ改題

動産質権は、目的動産から生じた果実につき優先弁済を受けることができる権利である。

083 □□□　　　　　　　　　　　　令3-12-エ（平24-12-オ）

当事者が譲渡を禁止する旨の意思表示をした債権を目的とする質権の設定は、その意思表示がされたことを質権者が知っていたときは、無効である。

084 □□□　　　　　　　　　　　　　　　　　　平31-12-イ

動産質権は、所有権の客体になり得る物であれば、法律上譲渡が禁止された物であっても、その目的とすることができる。

085 □□□　　　　　　　　　　　　　　　　　　令4-14-オ

質権は、現に発生していない債権を目的とすることができる。

## ○ 081

質権は留置的効力（347）及び不可分性を有するので（350・296）、被担保債権全額の弁済を受けるまで目的物を留置することができる。

## ○ 082

留置権者は目的物から生ずる果実を収取し、他の債権者に先立って、これを自己の債権の弁済に充当することができる（297）とされ、この297条の規定は動産質権にも準用されている（350）。

## × 083

譲渡性のない財産権は質権の目的とはならない（362Ⅱ・343）。この点、当事者が債権の譲渡を禁止する旨の意思表示をしたときであっても、債権の譲渡は、その効力を妨げられないことから（466Ⅱ）、質権者の主観的態様を問わず、譲渡禁止の特約ある債権であっても質権の設定は可能である。

## × 084

質権は、譲り渡すことができない物をその目的とすることができない（343）。この点、「譲り渡すことができない物」とは、所有権の客体となり得るけれども、性質上交換価値を欠くか、又は法律により譲渡を禁じられているため、譲渡することができない物をいう。

## ○ 085

現に発生していない債権であっても、譲渡・換価することが可能である以上、質権の目的とすることができる（364括弧書参照）。

担保物権

❷ 質権

民事執行法の規定によって差押えが禁止されている動産を動産質権の目的とすることはできない。

動産質権は、元本、利息、違約金、質権の実行の費用、質物の保存の費用及び債務の不履行又は質物の隠れた瑕疵によって生じた損害の賠償を担保し、設定行為においてこれと異なる別段の定めをすることはできない。

動産に対する質権の設定は、当事者間の合意によってその効力を生ずる。

動産質権は、債務者以外の者が所有する物に設定することができ、不動産賃貸の先取特権も債務者以外の者が所有する動産に及ぶことがある。

不動産質権は、登記をしなければ第三者に対抗することができない。

× 086

差押禁止動産（民執131）は必ずしも譲渡を禁止される動産ではない。差押禁止は所有者の意思に基づかずに債権の引当てとすることを禁止する趣旨であり、所有者の意思に基づいても処分し得ないといった譲渡禁止とは必ずしもその範囲を同一にするものではないからである。したがって、差押禁止動産を動産質権の目的とすることができないわけではない。

× 087

質権は、元本、利息、違約金、質権の実行、質物の保存の費用及び、債務の不履行又は質物の隠れた瑕疵によって生じた損害の賠償を担保する（346本文）。ただし、設定行為に別段の定めがあるときは、この限りでない（346但書）。

× 088

質権の設定は、債権者にその目的物を引き渡すことによってその効力を生ずる（344、要物契約）。

○ 089

質権について、質権者はその債権の担保として第三者から受け取った物を占有し、その物について他の債権者に先立って自己の債権の弁済を受けることができる（342）。また、不動産賃貸の先取特権についても、債務者以外の者の所有物に及ぶことがある（319・192）。

○ 090

不動産に関する物権の得喪及び変更は、不動産登記法その他の登記に関する法律の定めるところに従いその登記をしなければ、第三者に対抗することができない（177）。このことは、不動産質権にもあてはまる。

担保物権

❷ 質権

## 091 □□□ 平7-17-イ

土地を担保として金銭を貸し付ける場合に、抵当権の場合には、その存続期間について制限がないが、質権の場合には、その存続期間は10年を超えることができない。

## 092 □□□ 平2-8-2（平元-4-4、平7-17-ア、平20-13-イ、平27-13-イ）

不動産質権が成立するには、原則として不動産の引渡しが必要であるが、不動産質権設定の登記をすれば、引渡しは不要である。

## 093 □□□ 平17-13-ア（令2-12-イ）

不動産を目的として質権設定契約がされ、質権の設定の登記がされた場合であっても、その不動産の引渡しがされていないときは、その質権の設定の登記は、対抗力を有しない。

## 094 □□□ 平31-12-オ（平11-14-イ、平24-12-イ）

動産質権の設定は、債権者に対して質物を占有改定の方法で引き渡すことによっても、その効力を生ずる。

## 095 □□□ 平19-12-ア

指図による占有移転の方法によれば、同一の動産について複数の者にそれぞれ質権を設定することができる。

抵当権の存続期間に関しては、特に法定されていないが、不動産質権は、10年とされている（360Ⅰ）。

不動産質権は不動産の引渡しによって成立する（344）。登記は対抗要件にすぎない（177）。

不動産質権は、不動産物権であるから、その対抗要件は登記である（177）。もっとも、不動産の引渡しがされていない場合、不動産質権設定の効力要件を満たしていないので、登記だけを有していても、不動産質権の効力が生じない以上、対抗力も有しない。

質権の設定は、債権者にその目的物を引き渡すことによって、その効力を生ずる（344）。この点、この引渡しには占有改定によるものを含まない（345）。

質権の設定は、債権者に目的物を引き渡すことが効力発生要件である（344）。この引渡しには指図による占有移転も含まれる（大判昭9.6.2）。また、指図による占有移転の方法によれば、同一の動産につき複数の者にそれぞれ質権を設定することもできる。

担保物権

❷ 質権

## 096 ☐☐☐　　　　　　　　　　　　　　　　平21-12-オ

建物の所有者は、その建物を他人に賃貸している場合には、その建物を賃貸したまま質権を設定することはできない。


## 097 ☐☐☐　　　　　　　　　　　　　　　　平22-11-ア

質権は、債務者が相当の担保を提供して、その消滅を請求することができる。


## 098 ☐☐☐　　　　　　　　　　　　　　　　平15-14-オ

動産質でも、不動産質でも、一定の範囲に属する不特定の債権を極度額の限度で担保するために質権を設定することはできない。


## 099 ☐☐☐　　　　　　　　　　　　　平24-12-ウ（令5-11-ウ）

動産質権は、設定行為に別段の定めがあるときを除き、質物の隠れた瑕疵によって生じた損害の賠償をも担保する。


## 100 ☐☐☐　　　　　　　　　　　　　　　　平27-13-ウ

質権の目的である債権が保証債務によって担保されている場合、質権の効力は、その保証債権に及ぶ。

## × 096

質権の設定は、合意と目的物の引渡しによってその効力が生ずる。そして、目的物の引渡しとは目的物の占有を意味するから、その方法は必ずしも現実の引渡しに限られず、簡易の引渡し(182Ⅱ)、指図による占有移転（184）も含まれる（大判昭9.6.2）。

## × 097

質権には、留置権と異なり、代担保による消滅請求は認められていない（350・301参照）。

## × 098

不動産質権は、抵当権の規定を準用する（361）。したがって、不動産質においては、一定の範囲に属する不特定の債権を極度額の限度で担保するために質権を設定することはできる（361・398の2Ⅰ）。このことは、動産質においても異なることはない。

## ○ 099

質権は、元本、利息、違約金、質権の実行の費用、質物の保存の費用及び債務の不履行又は質物の隠れた瑕疵によって生じた損害の賠償を担保する。ただし、設定行為に別段の定めがあるときは、この限りでない（346）。

## ○ 100

質権の目的である債権が保証債務で担保されている場合、質権の効力は当該保証債権にも及ぶ。これは、保証債務の随伴性の帰結である。

## 101 ☐☐☐ 　　　　　　　　　　　　　平7-17-ウ（平29-11-オ）

土地を担保として金銭を貸し付ける場合に、抵当権の場合には、被担保債権の利息は、満期となった最後の2年分は担保されるが、質権の場合には特別の合意がない限り、被担保債権の利息を担保することができない。

## 102 ☐☐☐ 　　　　　　　　　　　　　　　　　　　　平17-13-エ

動産質権者が質権の目的である動産の占有を継続していても、これによって質権の被担保債権の消滅時効の進行は、妨げられない。

## 103 ☐☐☐ 　　　　　　　　　　　　　　　　　　　　平17-13-オ

質権の目的である不動産上に無断で建設資材が搬入されても、質権者は、その不動産質権に基づいて、搬入した者に対し、建設資材の撤去を求めることはできない。

## 104 ☐☐☐ 　　　　　　　　　　　平元-10-1（平2-8-3、令5-14-ウ）

質権者は、質権設定者の承諾がなくても、その権利の存続期間内において、自己の責任で質権の目的物を転質とすることができる。

## 105 ☐☐☐ 　　　　　　　　　　　　　　　　　　　　平24-12-ア

動産質権者が質物について転質をした場合には、質権者は、転質をしたことによって生じた損失について、不可抗力によるものを除き、その責任を負う。

抵当権は満期となった最後の2年分の利息を担保する（375）。
これに対して不動産質権の場合、質権者は債権の利息を請求することができない（358）とされており、特別の合意がない限り、原則として利息は担保されない（359）。

○ **102**

質権の行使は債権の消滅時効の進行を妨げない（300・350）。
したがって、動産質権者が質権の目的である動産の占有を継続していても、質権の被担保債権の消滅時効の進行は妨げられない。

× **103**

動産・不動産質権には、物権の効力として、質権の目的物への侵害に対する妨害排除請求（物権的請求権）が認められるため、質権の目的である不動産上に無断で建築資材が搬入されることによって、質物を使用収益する権利が害されているときは、侵害の排除の一手段として、建築資材の撤去を求めることができる。

○ **104**

348条による転質は、その権利の存続期間内において自己の責任で質権設定者の承諾がなくても行うことができる（大連決大14.7.14）。

× **105**

質権者は、その権利の存続期間内において、自己の責任で、質物について、転質をすることができる。この場合において、転質をしたことによって生じた損失については、不可抗力によるものであっても、その責任を負う（348）。

担保物権

❷ 質権

## 106 ☐☐☐

平14-7-エ

Aは、Bに対して100万円を貸し付け、その貸金債権を担保するために、BがCに対して有する50万円の貸金債権に質権を設定した。Aは、Bの承諾がなければ、自己の質権を更に質入れすることはできない。

## 107 ☐☐☐

平14-7-ア

Aは、Bに対して100万円を貸し付け、その貸金債権を担保するために、BがCに対して有する50万円の貸金債権に質権を設定した。Cが質権の設定を承諾していた場合において、Bが弁済期日までにAに対する弁済をせず、かつ、BC間の貸金債権の弁済期が到来しているときは、Aは、Cに対し、自分に50万円を支払うよう請求することができる。

## 108 ☐☐☐

平31-12-エ

動産質権の被担保債権の弁済期が経過したにもかかわらず動産質権者が弁済を受けなかったときは、その後、動産質権者と質権設定者は、動産質権者が質物を第三者に売却してその代価をもって弁済に充てることができる旨を約することができる。

## 109 ☐☐☐

平11-14-オ

動産質権者は、設定者の承諾がなければ、質物を第三者に賃貸することができない。

## × 106

質権者は、質権設定者の承諾を得ずに自己の責任で質物を転質することができる（348、責任転質）。債権質権者も質権者である以上、責任転質をすることができるのは当然である（362Ⅱ）。

## ○ 107

債権質の対抗要件は第三債務者への通知又は第三債務者の承諾である（364・467Ⅰ）。Cは質権の設定を承諾しているため、Aは質権の設定をCに対して対抗することができる（364）。また、AのBに対する債権（被担保債権）及びBのCに対する債権（質入債権）の弁済期がともに到来しているため、Aは質権を実行することができる。そして、債権質権者は自己の債権額の限度で質入債権を直接取り立てることができる（366Ⅰ・Ⅱ）。したがって、Aは、Cに対し、50万円を支払うよう請求することができる。

## ○ 108

質権設定者は、設定行為又は債務の弁済期前の契約において、質権者に弁済として質物の所有権を取得させ、その他法律に定める方法によらないで質物を処分させることを約することができない（349、流質契約の禁止）。しかし、弁済期後にその旨を約することは、自由である。

## ○ 109

350条は、「留置権者は、債務者の承諾を得なければ留置物を…賃貸…することができない」とする298条2項を質権に準用している。

## 110 □□□ 平21-12-ア

動産質権者が、質権設定者の承諾なく質物を他人に賃貸した場合、債務者は、質権の消滅を請求することができる。

## 111 □□□ 平11-14-ウ

動産質権者は、質物の占有を継続しなければ、質権を失う。

## 112 □□□ 平21-12-イ

動産質権者は、目的物を修繕の目的で他人に保管させた場合、占有を失っているので、当該動産質権を第三者に対抗することができない。

## 113 □□□ 平31-12-ア（平14-8-ウ、平21-12-ウ、平24-8-3）

動産質権者は、他人によって質物の占有を奪われた場合には、動産質権に基づいて目的物の返還を請求することができる。

## 114 □□□ 平31-12-ウ

動産質権の被担保債権の弁済期が経過したにもかかわらず動産質権者が弁済を受けなかった場合において、正当な理由があるときは、動産質権者は、裁判所に対し、鑑定人の評価に従って質物をもって直ちに弁済に充てることを請求することができる。

動産質権は、留置的効力を有するものの、目的物の使用収益権は認められず、動産質権者がこれに違反した場合、債務者は動産質権の消滅請求をすることができる（350・298Ⅱ・Ⅲ）。

× **111**

質権設定後における質権者による質物の占有の継続は、質権の存続要件ではなく、対抗要件であり（352）（ただし、不動産質権にあっては登記が対抗要件（177））、質権者が質物の占有を失ったとしても、それにより質権自体を喪失するものではないとするのが判例・通説である（大判大5.12.25）。

× **112**

動産質権者は、目的物の占有を失うと、質権を第三者に対抗することができなくなる（352）。本肢では、動産質権者が目的物を直接占有せず他人に保管させているが、この場合であっても、動産質権者がなお間接占有（181参照）しているといえる。

× **113**

動産質権者は、第三者によって質物の占有を奪われたときは、占有回収の訴えによってのみ、その質物を回復することができ、質権に基づいて質物を回復することはできない（353）。

○ **114**

動産質権者は、その債権の弁済を受けないときは、正当な理由がある場合に限り、鑑定人の評価に従い質物をもって直ちに弁済に充てることを裁判所に請求することができる（354前段）。

担保物権

❷ 質権

不動産質権者は、質権設定者の承諾を得なければ、目的不動産を
他人に賃貸することができない。

不動産質権者は、目的物について必要費を支出した場合には、所
有者にその償還を請求することができる。

動産質権者は、被担保債権の元本及び利息の支払を請求すること
ができるが、不動産質権者は、特約がない限り、被担保債権の利
息の支払を請求することはできない。

不動産質権は、抵当権と異なり、10年を超える存続期間を定める
ことはできず、これより長い期間を定めたときは10年に短縮され
る。

AはBに対する500万円の債権を担保するために、Bとの間でB
所有の不動産に質権を設定する契約を締結した。AとBが、質権
の存続期間を15年と定めた場合においては、10年を超えた時点
で、被担保債権がまだ存続しているときであっても、AB間で更新
の合意をしない限り、Aの質権は、当然に消滅する。

## × 115

不動産質権者は、設定行為で別段の定めをしない限り、設定者の同意を得ることなく目的不動産をその用法に従って使用収益することができる（356・359）。

## × 116

不動産質権者は、管理の費用を支払い、その他不動産に関する負担を負う（357）。したがって、必要費を支出した場合には、所有者にその償還を請求することができない。

## ○ 117

動産質権者は、被担保債権の元本及び利息の支払を請求することができる。不動産質権者は、原則として、被担保債権の利息を請求することはできない（346・358）。

## ○ 118

不動産質権の存続期間は、10年を超えることができず、設定行為でこれより長い期間を定めたときであっても、その期間は、10年とされる（360Ⅰ）。

## ○ 119

不動産質権の存続期間は10年を超えることができず、これより長い期間を定めたときはその期間を10年に短縮する（360Ⅰ）。この期間は更新することができるが（360Ⅱ）、更新しない限り存続期間の経過によって質権は消滅する。

担保物権

❷ 質権

質権者が質権の設定を受けた後に質権設定者に質物を返還した場合、動産質では質権を第三者に対抗することができなくなるが、不動産質では質権の効力に影響はない。

同一の不動産について数個の不動産質権が設定されたときは、その不動産質権の順位は、設定の前後による。

同一の債権について複数の質権を設定することはできない。

債権を目的とする質権の設定は、その債権についての契約書があるときは、これを交付しなければ、その効力を生じない。

AがBのためにCに対する債権を目的とする質権を設定し、Cに確定日付のある証書によってその通知をしたときは、Bは、その後にこの債権を差し押さえたAの他の債権者に対し、質権の設定を対抗することができる。

**○ 120**

質権者が、質権の設定後に質権設定者に質物を返還した場合、質権が消滅することはなく、動産質においては、質権を第三者に対抗できなくなるにすぎず、不動産質においては、質権の効力になんら影響はない（大判大5.12.25）。

**× 121**

同一の不動産について数個の不動産質権が設定されたときは、その不動産質権の順位は、登記の前後による（361・373）。

**× 122**

同一の債権について数個の質権を設定することができる（362Ⅱ・355準用）。

**× 123**

債権を目的とする質権の設定は、原則として、目的となる債権の証書の交付を要せず、合意だけで効力が生ずる。なお、譲渡に当たりその証券の交付が必要となる債権に限り、質権の設定について、証券の交付が効力発生要件となる（520の7・520の2他参照）。

**○ 124**

債権を目的とする質権の設定は、467条の規定に従うこととなるため、第三債務者にその質権の設定を確定日付のある証書により通知し、又は第三債務者がこれを確定日付のある証書により承諾をすれば、これをもって第三債務者以外の第三者に対抗することができる（364・467Ⅱ）。

担保物権

❷ 質権

質権者は、質権の目的である債権を直接に取り立てることができる。

質権の目的である金銭債権の弁済期が到来したときは、質権者は、被担保債権の弁済期の到来前であっても、質権の目的である金銭債権を直接取り立てることができる。

権利質は、質権者自身に対する債権をその目的とすることができない。

債権の目的物が金銭でないときは、その債権を目的とする質権を有する質権者は、弁済として受けた物について質権を有する。

質権の目的である債権が金銭債権であり、その債権及び被担保債権がいずれも弁済期にある場合、質権者は、被担保債権の額にかかわらず、質権の目的である債権の全額を取り立てることができる。

○ **125**

質権者は、質権の目的である債権を直接に取り立てることができる（366Ⅰ）。

× **126**

質権者は、質権の目的である債権を直接に取り立てることができる（366Ⅰ）。この点、質入債権の目的物が金銭である場合、質入債権の弁済期が到来しても、質権の被担保債権の弁済期が到来するまでは、質権者は第三債務者に対して自己への弁済を求めることはできないが、供託を求めることができる（366Ⅲ前段）。

× **127**

質権者自身に対する債権も質権の目的とすることができる（大判昭11.2.25）。

○ **128**

質権者は、質権の目的である債権を直接に取り立てることができる（366Ⅰ）。そして、債権の目的物が金銭でないときは、質権者は、弁済として受けた物について質権を有する（366Ⅳ）。

× **129**

債権の目的物が金銭であるときは、質権者は、自己の債権額に対応する部分に限り、これを取り立てることができる（366Ⅱ）。

担保物権

❷ 質権

# ③ 留置権

## 130 ☐☐☐    平13-9-イ

物の引渡しを求める訴訟において、被告が留置権を行使して引渡しを拒絶した場合、債務の完済までは原告に目的物引渡請求権は生じない。

## 131 ☐☐☐    平13-9-ア（平29-11-ア）

留置権者は、目的物から優先弁済を受ける権利を有しない。

## 132 ☐☐☐    平19-11-エ（平14-10-ウ）

留置権者は、被担保債権の全部の弁済を受けるまで目的物を留置することができる。

## 133 ☐☐☐    平19-11-ウ（平14-10-エ、令5-11-ア）

留置権者は、留置物から生ずる果実を収取し、他の債権者に先立って、これを自己の債権の弁済に充当することができる。

## 134 ☐☐☐    平25-11-ウ（平30-13-ア）

留置権者は、債務者の承諾を得て留置物を第三者に賃貸することができ、賃貸によって得られた賃料を他の債権者に先立って被担保債権の弁済に充当することができる。

## 135 ☐☐☐    平13-9-ア（平25-11-エ）

留置権者は、目的物を競売に付する権利を有しない。

### × 130

留置権の本質は、相手方の目的物引渡請求権の存在を前提として
その目的物の引渡しを拒む抗弁権であるから、債務の完済前にお
いても原告には目的物引渡請求権が生じている。

### ○ 131

留置権は、先取特権（303）、質権（342）、抵当権（369Ⅰ）
とは異なり、目的物の価値を支配する権利ではないから、被担保
債権について、優先弁済を受ける権利を有しない。

### ○ 132

留置権者は、債権の全部の弁済を受けるまでは、留置物の全部に
ついてその権利を行使することができる（296、不可分性）。

### ○ 133

留置権者は、留置物から生ずる果実を収取し、他の債権者に先立っ
て、これを自己の債権の弁済に充当することができる（297Ⅰ）。

### ○ 134

留置権者は、債務者の承諾を得れば、留置物を賃貸することができ
る（298Ⅱ参照）。また、留置権者は、留置物から生ずる果実
を収取し、他の債権者に先立って、これを自己の債権の弁済に充
当することができる（297Ⅰ）。

### × 135

留置権者には、競売権が与えられている（民執195）。

担保物権

**❸** 留置権

## 136 ☐☐☐ 平14-10-オ（平19-11-オ）

動産留置権と動産質権は、いずれも目的動産の滅失によって債務者が取得すべき金銭その他の物に対して代位することができる権利である。

## 137 ☐☐☐ 平23-11-1（平22-12-イ）

物の修理を内容とする双務契約において、物の修理業者は、修理代金債権を被担保債権として、修理した物を目的物とする留置権を主張することができる。

## 138 ☐☐☐ 平27-12-イ

Aからその所有するカメラをBが借りていた場合において、CがBからそのカメラの修理を有償で依頼され、その引渡しを受けたときは、Cは、Bに対する修理代金債権に基づくそのカメラについての留置権を主張して、AのCに対するカメラの引渡請求を拒むことができない。

## 139 ☐☐☐ 平25-11-オ

建物所有目的の土地の賃借人が賃貸人に対して建物買取請求権を行使した場合において、賃借人は、建物の買取代金の支払を受けるまでは、建物について留置権を主張して建物の敷地を占有することができ、敷地の賃料相当額の支払義務も負わない。

× **136**

留置権には物上代位性がないので、目的物滅失により債務者が取得すべき金銭その他の物に対して代位できないが、質権には物上代位性があるので代位できる（350・304）。

○ **137**

他人の物の占有者は、その物に関して生じた債権を有するときは、その債権の弁済を受けるまで、その物を留置することができる（295 I）。

× **138**

他人の物の占有者は、その物に関して生じた債権を有するときは、その債権の弁済を受けるまで、その物を留置することができる（295 I 本文）。「他人の物」とは、占有者以外の者に属する物ということであり、債務者の所有物であることを要しない。

× **139**

賃借人が買取請求をした後に、建物代金債権に基づき建物を留置する者は、建物だけではなく敷地も占有することができるが、賃料相当の不当利得返還義務を負う（大判昭18.2.18）。

担保物権

❸ 留置権

必要費償還請求権のために建物を留置している留置権者が、その
建物のために更に必要費を支出した場合であっても、後者の必要
費償還請求権のために留置権を主張することはできない。

建物の賃借人による賃貸人の負担に属する必要費又は有益費の償
還請求に関して、賃借人は、必要費を支出した場合であっても、賃
借物を留置することはできない。

留置権者が留置物について必要費を支出した場合において、これ
による価格の増加が現存しないときは、所有者にその償還をさせ
ることはできない。

AがBに対して甲建物を賃貸している場合に、A及びBは、賃貸借
契約を合意解除した。この場合において、Bが解除前にAの承諾
を得た上で甲建物に造作を施していたときは、Bは、造作の買取
請求権に基づき甲建物を留置することができる。

留置権者は、建物の所有者に対して、建物につき支出した必要費の償還を請求することができ（299Ⅰ）、この償還請求権は留置物に関して生じた債権であるから、これを被担保債権として建物を留置することができる（295Ⅰ）。そして、その後更に留置している当該建物について必要費を支出したときは、既に生じている必要費とともに後の必要費を被担保債権として建物を留置することができる（最判昭33.1.17）。

× **141**

賃借人は、賃借物について賃貸人の負担に属する必要費を支出したときは、賃貸人に、直ちにその償還を請求することができる（608Ⅰ）。そして、賃借人は、必要費償還請求権に基づいて、賃借物の上に留置権を有する（295）。

担保物権

× **142**

留置権者は、留置物について必要費を支出したときは、所有者にその償還をさせることができる（299Ⅰ）。なお、有益費については、価格の増加が現存する場合に限り、所有者の選択に従い、その支出した金額又は増加額を償還させることができる（299Ⅱ本文）。

**❸** 留置権

× **143**

建物の賃借人は、建物の造作買取代金債権を被担保債権として、留置権を行使することはできない。造作買取請求権（借地借家33）の行使に基づく造作買取代金債権は、造作に関して生じた債権であるにとどまり、建物に関して生じた債権であるとはいえないからである（大判昭6.1.17・最判昭29.1.14）。

## 144 □□□ 平10-11-イ（平22-12-ア、平23-11-4）

土地が二重譲渡され、第2の買主へ所有権移転登記がされた場合、第1の買主は、第2の買主からの土地明渡請求に対して、自己への所有権移転が履行不能となったことを理由として得た損害賠償債権をもって当該土地につき留置権を主張することができる。

## 145 □□□ 平27-12-ウ（平22-12-ウ）

A所有の甲土地をBがCに売却して引き渡した後、甲土地の所有権を移転すべきBの債務が履行不能となった場合、Cは、履行不能による損害賠償請求権に基づく甲土地についての留置権を主張して、AのCに対する甲土地の引渡請求を拒むことができる。

## 146 □□□ 平17-12-ウ

AがBに対して甲建物を賃貸している場合に、Bは、賃貸借契約締結の際に、Aに対して敷金を交付していたが、賃貸借の終了後の敷金返還時期に関する特別の約定はなかった。この場合において、Bは、敷金返還請求権に基づき甲建物を留置することはできない。

## 147 □□□ 平22-12-オ（平21-15-ア、平26-15-オ）

Aが所有し占有する土地について譲渡担保権の設定を受けたBが、当該譲渡担保権の実行として当該土地をCに譲渡し、Aに対して清算金支払債務を負っている場合において、CがAに対して当該土地の引渡しを要求したときは、Aは、Bに対する清算金支払請求権に基づいて、当該土地について留置権を主張することができる。

✕ **144**

不動産が二重売買され第2の買主が登記を備えたため、第1の買主が売主に対して履行不能を理由とする損害賠償請求権を取得しても、第1の買主は第2の買主からの不動産の明渡請求に対して、売主に対するその損害賠償請求権を被担保債権として留置権を主張することはできない（最判昭43.11.21）。

✕ **145**

他人の物の売買における買主は、売主の履行不能による損害賠償債権に基づいて、所有者の返還請求に対し留置権を主張することができない（最判昭51.6.17）。

○ **146**

賃借人は、特約がない限り、賃貸人に対する敷金返還請求権を被担保債権として留置権を主張することはできない（最判昭49.9.2）。

○ **147**

譲渡担保権の実行により目的物が第三者に譲渡された場合、譲渡担保権設定者は、譲渡担保権者に対する清算金支払請求権を被担保債権とする留置権を主張することができる（最判平9.4.11）。

担保物権

❸ 留置権

## 148 ☐☐☐                                                      平19-11-イ

留置権は、物に関して生じた債権に停止条件が付されている場合
において当該条件の成否がいまだ確定しないときであっても、当
該物について成立する。


## 149 ☐☐☐                                           平19-11-ア（平29-11-イ）

留置権は、目的物を占有していなければ成立せず、目的物の占有
を失うと消滅する。


## 150 ☐☐☐                                  平27-12-ア（平13-9-オ、平17-12-ア）

Aを賃貸人、Bを賃借人とする甲建物の賃貸借契約がBの債務不
履行を理由に解除された場合において、Bが占有権原がないこと
を知りながら引き続き甲建物を占有し、有益費を支出したときは、
Bは、Aに対する有益費償還請求権に基づく甲建物についての留
置権を主張して、AのBに対する甲建物の明渡請求を拒むことがで
きる。


## 151 ☐☐☐                                                      平10-11-エ

留置権者は、債権の弁済を受けないまま留置物の一部を債務者に
引き渡した場合であっても、債権全額の弁済を受けるまでは、留
置物の残部につき留置権を主張することができる。

留置権が成立するためには、被担保債権が弁済期にあることが必要である（295Ⅰ但書）。停止条件付債権の弁済期は、停止条件が成就した時に到来する（127Ⅰ参照）。

留置権が成立するためには、留置権者が目的物を占有していることが必要である（295本文）。また、占有は留置権の存続要件でもあるので、留置権者が留置物の占有を失ったときは消滅する（302本文）。

占有すべき権利がないことを知りながら他人の物の占有を続け、その状況下で支出した有益費の償還請求権については、留置権は成立しない（大判大10.12.23）。

担保物権

❸ 留置権

留置権者が債務の弁済を受けないまま留置物の一部を債務者に引き渡した場合であっても、特段の事情のない限り、債権全額の弁済を受けるまでは、留置物の残部につき留置権を行使することができる（296、最判平3.7.16）。

## 152 □□□                                         平17-12-エ（平3-3-2）

Aは、Bの債務不履行を理由に賃貸借契約を解除したが、Bは、解除前に支出した修繕費の償還請求権に基づく留置権を行使して、甲建物を占有していた。この場合において、Bが甲建物を継続して使用することは、保存行為に当たるから、Bは、甲建物の使用の対価に相当する額をAに支払う義務を負わない。

## 153 □□□                                                      平25-11-イ

留置権者が留置物の占有を継続していても、それにより被担保債権の消滅時効の進行が妨げられることはない。

## 154 □□□                                                      平30-13-エ

留置権者が留置物の所有者である債務者から留置物の返還請求を受け、訴訟において留置権の抗弁を主張した場合であっても、被担保債権についての消滅時効の完成猶予の効果は生じない。

## 155 □□□                                                      平16-12-ア

Aは、Bからその所有する時計の修理を依頼され、その修理をしたが、Bは、時計の修理代金を支払っていない。AがCによって時計を強取されたときは、Cに対する占有回収の訴えによって占有を回復しても、Aは、留置権を主張することができない。

## 156 □□□                                                      平25-11-ア

留置権者が留置物の一部をその過失により壊したとしても、債務者は、債務の全額を弁済しない限り、留置権の消滅を請求することはできない。

× **152**

賃借人が修繕費の担保のために、賃貸借終了後もなお賃借物を継続して使用することは、保存行為として許されるが、留置権者は、賃料相当額を不当利得として返還する義務を負う（大判昭13.12.17）。

○ **153**

留置権の行使は、債権の消滅時効の進行を妨げない（300）。

× **154**

留置権の抗弁は、被担保債権の債務者が原告である訴訟において提出された場合には、当該抗弁の撤回がされない限り、当該債権について、150条による「催告」として、消滅時効の完成猶予の効力を有する（最判昭38.10.30）。

× **155**

留置権は占有の喪失によって消滅する（302本文）。しかし、Aは時計を強取されているので占有回収の訴え（200Ⅰ）を提起することができ、その訴えに勝訴し、現実にその物の占有を回復したときは、占有が継続していたものと擬制される（203但書、最判昭44.12.2）。

× **156**

留置権者は、善良な管理者の注意をもって、留置物を占有しなければならない（298Ⅰ）。そして、留置権者がこの規定に違反したときは、債務者は、留置権の消滅を請求することができる（298Ⅲ）。

Aは、Bからその所有する時計の修理を依頼され、その修理をしたが、Bは、時計の修理代金を支払っていない。Aが時計をDに賃貸して引き渡したときは、Aの留置権は、消滅する。

留置権者が留置物の所有者である債務者の承諾を得ないで留置物に質権を設定した場合には、債務者は、留置権者に対し、留置権の消滅を請求することができる。

A所有の甲建物について留置権を有するBがAの承諾を得て甲建物を使用している場合、その後にAから甲建物を買い受けて所有権の移転の登記を受けたCは、Bが甲建物を使用していることを理由として留置権の消滅請求をすることはできない。

債務者は、相当の担保を提供して留置権の消滅を請求することができる。

留置権者が債務者の承諾なしに留置物を賃貸した場合、直ちに留置権が消滅するのではなく、**債務者の消滅請求（298Ⅲ）により**消滅する。

留置権者は、債務者の承諾を得なければ、留置物を担保に供することができない（298Ⅱ本文）。そして、留置権者がこの規定に違反したときは、債務者は、留置権の消滅を請求することができる（298Ⅲ）。

留置物の所有権が第三者に移転した場合において、第三者の対抗要件具備前に、留置権者が目的物の使用収益につき298条2項所定の承諾を受けていたときは、新所有者は、その使用収益を理由に留置権の消滅を請求することができない（最判平9.7.3）。

債務者は、その債権額に相当する担保を提供して留置権の消滅を請求することができる（301）。

担保物権

❸ 留置権

### 161 ☐☐☐         平22-11-オ

抵当権者及び不動産の質権者は、競売による目的物の売却代金から優先弁済を受けることができるが、不動産の先取特権者は、競売による目的物の売却代金から優先弁済を受けることができない。

### 162 ☐☐☐         平30-12-ウ

一般の先取特権は、担保物権の不可分性を有しない。

### 163 ☐☐☐         平24-11-エ（平30-12-エ）

AがBに甲動産を売り渡し、BがCに甲動産を転売した後、BがCに対する転売代金債権をDに譲渡し、その債権譲渡について、第三者に対する対抗要件が備えられた。この場合において、Aは、動産売買の先取特権に基づき、当該転売代金債権を差し押さえて、物上代位権を行使することができる。

### 164 ☐☐☐         平25-12-1（令3-11-ウ）

動産売買の先取特権者Aは、物上代位の目的となる債権につき一般債権者Bが差押命令を取得したにとどまる場合には、当該債権を差し押さえて物上代位権を行使することを妨げられない。

### 165 ☐☐☐         平15-13-イ

不動産売買の先取特権は、法定担保権であるから、代金債権が譲渡されても当然には移転しないし、根抵当権も、元本確定前には、設定者の承諾がない限り被担保債権が譲渡されても移転しない。

× **161**

目的物から優先的に債権を回収する効力のことを担保物権の優先弁済的効力という。抵当権及び不動産質権については、その内容として優先弁済効が認められる（369Ⅰ・342参照）。また、先取特権についても優先弁済効が認められる（303）。

× **162**

債権の全額の弁済を受けるまで目的物の全部について権利を行使することができるという担保物権の通有性を不可分性という。この点、先取特権は不可分性を有する。

× **163**

動産の先取特権者は、物上代位の目的債権が譲渡され、第三者に対する対抗要件が備えられた後においては、目的債権を差し押さえて物上代位権を行使できない（最判平17.2.22）。

○ **164**

動産売買の先取特権者Aは、物上代位の目的である債権について、一般債権者Bが差押え又は仮差押えを執行したにすぎないときは、その後にその債権に対して物上代位権を行使することは妨げられない（最判昭60.7.19）。

× **165**

不動産売買の先取特権は、随伴性により、代金債権の譲渡とともに当然に移転する。一方、根抵当権は、元本確定前は随伴性を有しないため、被担保債権が譲渡されても、移転しない（398の7Ⅰ）。

担保物権

❹ 先取特権

不動産先取特権は、法定担保権であるから、消滅請求の対象とならないが、根抵当権は、元本確定前であっても、消滅請求の対象となる。

不動産の賃貸人は、敷金を受け取っている場合には、その敷金で弁済を受けない債権の部分についてのみ、不動産賃貸の先取特権を有する。

賃借人が賃借不動産に備え付けた動産が賃借人の所有物でない場合には、賃貸人がこれを賃借人の所有物であると過失なく誤信したときであっても、当該動産について、不動産賃貸の先取特権は成立しない。

不動産の賃借人がその不動産を転貸している場合には、賃貸人の先取特権は、賃借人がその転貸借契約に基づいて転借人から受けるべき金銭にも及ぶ。

不動産の工事の先取特権は、工事によって不動産の価格が一旦増加した場合には、先取特権の行使時点において当該価格の増加が現存しないときであっても、行使することができる。

**×** **166**

先取特権は抵当権の規定が準用される（341）ので、不動産先取特権は、消滅請求の対象となる（341・379）。根抵当権もまた、元本確定の前後を問わず、消滅請求の対象となる（379）。

**○** **167**

不動産の賃貸の先取特権は、その不動産の賃料その他の賃貸借関係から生じた賃借人の債務に関し、賃借人の動産について存在する（312）。もっとも、賃貸人は、622条の2第1項に規定する敷金を受け取っている場合には、その敷金で弁済を受けない債権の部分についてのみ先取特権を有する（316）。

**×** **168**

不動産賃貸の先取特権の目的物は、賃借人所有の動産であるのが原則であるが（312）、例外的に即時取得に関する規定が準用される場合がある（319）。そのため、賃借人が賃借不動産に備え付けた動産が賃借人の所有物でなくても、賃貸人がこれを賃借人の所有物であると過失なく誤信したときは、当該動産の上にも不動産賃貸の先取特権が及ぶことになる。

**○** **169**

賃貸借の転貸があった場合は、賃貸人の先取特権は、転貸人が受けるべき金銭にも及ぶ（314後段）。この「受けるべき金銭」とは、転借料等である。

**×** **170**

不動産工事の先取特権は、工事によって生じた不動産の価格の増加が現存する場合に限り、その増価額についてのみ存在する（327 Ⅱ）。

## 171 □□□ 平10-12-オ

動産保存の先取特権相互間では、保存が動産について行われたか、動産に関する権利について行われたかにかかわらず、後の保存者が優先する。

## 172 □□□ 平28-11-ア

動産売買の先取特権の目的物に質権が設定された場合、当該質権は、当該動産売買の先取特権に優先する。

## 173 □□□ 平26-11-ウ（令3-11-イ）

同一の不動産について不動産保存の先取特権と不動産工事の先取特権が互いに競合する場合には、不動産保存の先取特権が優先する。

## 174 □□□ 平26-11-エ（平10-12-イ、平24-11-イ）

不動産保存の先取特権は、保存行為が完了した後直ちに登記をした場合には、その登記の前後を問わず、抵当権に優先して行使することができる。

## 175 □□□ 平15-13-ア

不動産工事の先取特権と根抵当権との優先関係は、登記の先後によって決まる。

○ **171**

同一の動産につき動産保存の先取特権が競合する場合、後の保存者が前の保存者に優先する（330Ⅰ柱書後段）。

○ **172**

動産先取特権の順位は、第一「不動産の賃貸、旅館の宿泊及び運輸の先取特権」、第二「動産の保存の先取特権」、第三「動産の売買、種苗又は肥料の供給、農業の労務及び工業の労務の先取特権」である（330Ⅰ）。そして、動産の先取特権と動産質権が競合する場合には、当該質権は330条の規定による先取特権の第一順位のものと同一の順位に立つ（334）。

○ **173**

同一の不動産について特別の先取特権が互いに競合する場合には、その優先権の順位は、①不動産の保存、②不動産の工事、③不動産の売買の順序となる（331Ⅰ・325）。

○ **174**

不動産の保存の先取特権の効力を保存するためには、保存行為が完了した後直ちに登記をしなければならない（337）。そして、不動産保存の先取特権は、抵当権に先立って行使することができる（339）。

× **175**

登記された不動産工事の先取特権は、その登記の先後を問わず、抵当権に優先する（339）。根抵当権も抵当権の一種である。

担保物権

❹ 先取特権

不動産の売買の先取特権は、売買契約と同時に、不動産の代価又はその利息の弁済がされていない旨を登記した場合には、その前に登記された抵当権に先立って行使することができる。

同一の不動産について売買が順次された場合には、売主相互間における不動産売買の先取特権の優先権の順位は、売買の前後による。

一般の先取特権も、不動産について登記することができ、その登記がされたときは、これに後れて登記された不動産売買の先取特権に優先する。

登記されていない一般の先取特権は、登記されていない抵当権と同一の順位となる。

雇用関係の先取特権は、不動産について登記をしなくても、当該不動産について登記をした抵当権を有する債権者に対抗することができる。

× **176**

不動産の売買の先取特権は、売買契約と同時に、その代価又は利息がまだ弁済されていない旨を登記したときは、不動産の代価及びその利息に関し、その不動産について存在する（328・340）。この点、不動産の売買の先取特権と抵当権が競合した場合、対抗要件の一般原則に従い、**登記の前後でその優劣を決する**。

○ **177**

同一の不動産について売買が順次された場合には、売主相互間における不動産売買の先取特権の優先権の順位は、**売買の前後による**（331Ⅱ）。

○ **178**

一般の先取特権は、不動産について登記することができる（不登3⑤）。そして、登記された一般の先取特権と不動産売買の先取特権（340）とが競合した場合、相互の優先関係は、**登記の先後で決定される**（336参照）。

× **179**

一般の先取特権は、登記をしていない特別の先取特権者・質権者・抵当権者に対しては、**登記なくして対抗することができる**（336但書参照）。

× **180**

一般の先取特権は、不動産について登記をしなくても、特別担保を有しない債権者に対抗することができる（336本文）。しかし、登記をした第三者に対しては、登記をしなければ、**対抗することができない**（336但書）。

動産の売主は、その動産が買主から第三者に転売され、現実の引渡し又は占有改定による引渡しがされたときは、当該動産について、動産売買の先取特権を行使することはできない。

動産売買の先取特権の目的物である動産について、買主が第三者に対し質権を設定して引き渡したときは、当該動産の売主は、当該先取特権を行使することができない。

動産売買の先取特権の目的である動産を用いて当該動産の買主が請負工事を行ったとしても、請負代金債権の全部又は一部を当該動産の転売による代金債権と同視するに足りる特段の事情がある場合には、先取特権者は、その部分の請負代金債権について物上代位権を行使することができる。

一般の先取特権者は、まず不動産から弁済を受け、なお不足があるのでなければ、不動産以外の財産から弁済を受けることができない。

不動産工事の先取特権を保存するには、その工事の開始前にその費用の予算額を登記しなければならないが、その工事が建物の新築工事であるときは、建物自体が存在しないので、建物の建築後直ちに登記すれば足りる。

## ○ 181

先取特権者は、債務者が目的物を第三者に譲渡して引き渡した後は、その動産について先取特権を行使することができない（333）。そして、引渡しには、占有改定も含む（大判大6.7.26）。

## × 182

先取特権は、債務者が目的動産を第三取得者に引き渡した後は、その動産について行使することはできない（333）。ここにいう、「第三取得者」とは、所有権取得者をいい、質権の設定を受けたにすぎない者は、たとえ引渡しを受けていても第三取得者に当たらない（大判昭16.6.18）。

## ○ 183

請負代金全体に占める当該動産の価額の割合や請負契約における請負人の債務の内容等に照らして請負代金債権の全部又は一部を当該動産の転売による代金債権と同視するに足りる特段の事情がある場合には、その部分の請負代金債権に対して物上代位権を行使することができる（最決平10.12.18）。

## × 184

一般の先取特権者は、まず不動産以外の財産から弁済を受け、なお不足があるのでなければ、不動産から弁済を受けることができない（335Ⅰ）。

## × 185

不動産工事の先取特権は、その工事の開始前にその費用の予算額を登記しなければ第三者に対抗することができない（338Ⅰ）。工事が建物の新築工事であるときも同様である。

担保物権

❹ 先取特権

不動産の工事の先取特権は、実際の工事の費用が工事を始める前に登記した費用の予算額を超えるときは、その超過額については存在しない。

不動産売買の先取特権の効力を保存するためには、売買契約と同時に、不動産の代価又はその利息の弁済がされていない旨を登記しなければならない。

先取特権の目的である土地の所有権を取得した者は、先取特権者に提供して承諾を得た金額を払い渡し又はこれを供託して先取特権を消滅させることができる。

## ○ 186

不動産の工事の先取特権の効力を保存するためには、工事を始める前にその費用の予算額を登記しなければならず、この場合において、工事の費用が予算額を超えるときは、その超過額については存在しない（338 I）。

## ○ 187

不動産の売買の先取特権の効力を保存するためには、売買契約と同時に、不動産の代価又はその利息の弁済がされていない旨を登記しなければならない（340）。

## ○ 188

先取特権の目的である土地の所有権を取得した者は、消滅請求をすることができる（341・379）。

## ⑤ 非典型担保

189 ☐☐☐        平24-15-オ

債務者が将来取得する債権については、その発生原因や債権額、債権発生の期間の始期と終期などにより、譲渡担保の目的となるべき債権が当該債務者の有する他の債権と識別することができる程度に特定されていれば、債権の発生が確実であるかどうかを問わず、譲渡担保権を設定することができる。

190 ☐☐☐        平24-15-イ（平29-15-エ、令3-15-イ）

債務者である土地の賃借人がその借地上に所有する建物を譲渡担保の目的とした場合には、譲渡担保権の効力は、土地の賃借権には及ばない。

191 ☐☐☐        平28-15-ア

不動産の譲渡担保権者が、その不動産に設定された先順位の抵当権の被担保債権を代位弁済したことによって取得する求償債権は、譲渡担保設定契約に特段の定めがない限り、譲渡担保権によって担保されるべき債権の範囲に含まれない。

192 ☐☐☐        平28-15-オ（令3-15-ウ）

将来発生すべき債権を目的とする譲渡担保契約が締結された場合、債権譲渡の効果の発生を留保する特段の付款がない限り、譲渡担保権の目的とされた債権は譲渡担保契約によって譲渡担保権設定者から譲渡担保権者に確定的に譲渡されており、譲渡担保権者は、譲渡担保権の目的とされた債権が将来発生した際に、特段の行為を要することなく、その債権を担保の目的で取得する。

○　189

将来発生する債権を譲渡担保の対象にする場合、その債権の特定の程度は、譲渡の目的となるべき債権を譲渡人が有する他の債権から識別することができる程度に特定されていれば足りる（最判平12.4.21）。

×　190

借地上の建物が譲渡担保の目的とされた場合、特段の事情がない限り、その効力は、従たる権利として土地賃借権にも及ぶ（最判昭51.9.21）。

○　191

不動産の譲渡担保権者が、その不動産に設定された先順位の抵当権の被担保債権を代位弁済したことにより取得する求償債権は、譲渡担保設定契約において特段の定めのない限り、その被担保債権には含まれない（最判昭61.7.15）。

○　192

将来発生すべき債権を目的とする譲渡担保契約が締結された場合には、債権譲渡の効果の発生を留保する特段の付款のない限り、譲渡担保の目的とされた債権は譲渡担保契約によって譲渡担保設定者から譲渡担保権者に確定的に譲渡されているのであり、譲渡担保権者は、譲渡担保の目的とされた債権が将来発生した際に、譲渡担保設定者の特段の行為を要することなく当然に、当該債権を担保の目的で取得することができる（466の6Ⅱ参照、最判平19.2.15）。

担保物権

❺　非典型担保

　　　　　　　平24-15-エ（平19-12-イ、平30-15-ア）

Aは、Bの所有する甲動産について譲渡担保権の設定を受け、占有改定の方法によりその引渡しを受けた。その後、Cも、甲動産についてBから譲渡担保権の設定を受け、占有改定の方法によりその引渡しを受けた。この場合において、Cは、甲動産について、Aが譲渡担保権を実行する前に、自ら譲渡担保権を実行することができない。

　　　　　　　　平24-15-ア（平21-15-イ、平30-7-オ）

譲渡担保権の設定者は、譲渡担保権が実行されるまでは、譲渡担保権が設定された目的物を正当な権原なく占有する者に対し、その返還を請求することができる。

　　　　　　　　　　　　　　　　　　　平21-15-ウ

譲渡担保権の設定者が目的物である動産を売却した場合、譲渡担保権者はその売却代金に物上代位することはできない。

　　　　　　　　　　　　　　　　　　　平27-15-オ

根抵当権者が、根抵当権の目的である不動産につき譲渡担保権を取得し、譲渡担保を原因とする所有権の移転の登記を経由したときは、根抵当権は混同により消滅する。

## ○ 193

同一の動産について複数の者にそれぞれ譲渡担保が設定されている場合、後順位譲渡担保権者は私的実行をすることができない（最判平18.7.20）。

## ○ 194

譲渡担保の所有権移転の効力は債権担保の目的を達するのに必要な範囲内においてのみ認められるのであって、正当な権限なく目的物件を占有する者がある場合には、特段の事情のない限り、設定者は、右占有者に対してその返還を請求することができるものと解するのが相当である（最判昭57.9.28）。

## ✕ 195

譲渡担保の目的物である商品を担保権設定者が売却した際に生じた売買代金債権に対して、譲渡担保権に基づく物上代位は認められる（最決平11.5.17）。

## ✕ 196

根抵当権者が、根抵当権の目的である不動産につき、譲渡担保権を取得し、譲渡担保を原因とする所有権の移転の登記を経由したとしても、当該根抵当権は混同により消滅しない（最決平17.11.11）。

担保物権

**5** 非典型担保

## 197 □□□ 令2-15-エ

動産にその価値を上回る金額の債権を被担保債権とする譲渡担保権が設定されていた場合において、債務者の一般債権者が目的動産を差し押さえたときは、譲渡担保権者は、第三者異議の訴えにより強制執行の不許を求めることができる。

## 198 □□□ 平19-12-ウ（平23-15-ア、平29-15-オ、令3-15-ア）

構成部分が変動する集合動産であっても、その種類、所在場所及び量的範囲を指定するなどの方法によって目的物の範囲が特定される場合には、一個の集合物として譲渡担保の目的とすることができる。

## 199 □□□ 平31-15-イ

譲渡担保権設定契約において、その目的物を「譲渡担保権設定者の甲店舗内にある商品一切のうち譲渡担保権設定者が所有する物」と定めたときは、譲渡担保権設定者がいずれの商品について所有権を有するかが外形上明確になっていなくても、譲渡担保権の目的物は特定されている。

## 200 □□□ 平31-15-ウ

譲渡担保権設定契約において、その目的物を「甲倉庫内に保管された商品乙50トン中20トン」と定めたのみでは、譲渡担保権の目的物が特定されているとはいえない。

○ **197**

譲渡担保権者は、特段の事情がない限り、譲渡担保権者たる地位に基づいて、第三者異議の訴えにより、目的物に対し譲渡担保設定者の一般債権者がした**強制執行の排除を求めることができる**（最判昭58.2.24）。

○ **198**

原則として、一つの物権の目的物は一つの物でなくてはならない（一物一権主義）。しかし、構成部分の変動する集合動産であっても、その種類、所在場所及び量的範囲を指定するなどの方法によって目的物の範囲が特定される場合には、1個の集合物として**譲渡担保の目的物とすることができる**（最判昭62.11.10）。

× **199**

譲渡担保の目的物につき、「譲渡担保権設定者所有のもの」という限定を付したとしても、どれが譲渡担保権設定者所有のもので、どれがそうでないのか明確に識別する指標が示されるとか、現実にその区別ができるような適宜な措置が講じられた形跡が全くないときは、これらの物件については譲渡担保契約成立の要件としての目的物の外部的、客観的な**特定性を欠く**（最判昭57.10.14）。

○ **200**

Aが倉庫業者Bに寄託中の食用乾燥ネギフレーク44トン余りのうち28トンをCに対する譲渡担保とした場合は、そのうちどの部分が集合物を構成しているか不明になることから、**特定性を満たさないとしている**（最判昭54.2.15参照）。

担保物権

❺ 非典型担保

**201** ▢▢▢            平23-15-イ

継続的取引から生じる債務の一切を担保するいわゆる根担保として、集合動産譲渡担保を設定することはできない。

**202** ▢▢▢            平23-15-ウ

集合動産譲渡担保の目的とすることができる動産は、譲渡担保の設定時に現実に存在しているものであることを要しない。

**203** ▢▢▢            平31-15-エ

構成部分の変動する集合動産を目的として集合物譲渡担保権が設定され、譲渡担保権者が占有改定の方法によって対抗要件を具備したときは、譲渡担保権者は、その後に新たにその集合動産の構成部分となった動産についても、譲渡担保権を第三者に対して主張することができる。

**204** ▢▢▢        平23-15-オ（平30-15-ウ）

動産売買の先取特権が付された動産が占有改定の方法により集合動産譲渡担保の構成部分となった場合において、先取特権の権利者がその動産につき競売の申立てをしたときは、集合動産譲渡担保権者は、その動産について集合動産譲渡担保権を主張することができない。

**×  201**

構成部分の変動する集合動産に譲渡担保を設定する場合、当該譲渡担保権者は、その目的物である動産を特定の所在場所という「枠」で支配することとなるため、当該譲渡担保の設定後、新しく流入した動産についても当該譲渡担保権の効力は及ぶ（最判昭62.11.10）。そして、当該譲渡担保は、継続的取引から生ずる債務の一切を担保する根担保として設定することができる。

**○  202**

構成部分の変動する集合動産に譲渡担保を設定後、新しく流入した動産についても当該譲渡担保権の効力は及ぶ（最判昭62.11.10）。そのため、集合動産譲渡担保は、目的物である動産の入れ替わりを前提としたものであることから、その目的とすることができる動産が、集合動産譲渡担保の設定時に現実に存在しているものであることは要しない。

**○  203**

対抗要件具備の効力は、その後構成部分が変動したとしても、集合物としての同一性が損なわれない限り、新たにその構成部分となった動産を包含する集合物について及ぶ（最判昭62.11.10）。

**×  204**

動産売買の先取特権が付された動産が占有改定の方法により集合動産譲渡担保の構成部分となった場合、譲渡担保権者は当該動産の引渡しを受けたといえ、333条の第三取得者に該当することから、先取特権の権利者がその動産につき競売の申立てをしたときは、当該譲渡担保権者は、当該動産について、当該譲渡担保権を主張することができる（最判昭62.11.10）。

担保物権

**❺** 非典型担保

## 205 ☐☐☐ 　　　　　　平31-15-ア（平25-12-4、平27-15-ア）

構成部分の変動する集合動産を目的とする集合物譲渡担保権の効
力は、譲渡担保の目的である集合動産の構成部分である動産が滅
失した場合にその損害をてん補するために譲渡担保権設定者に対
して支払われる損害保険金に係る請求権に及ぶ。

## 206 ☐☐☐ 　　　　　　　　　　平23-15-エ（平30-15-イ）

集合動産譲渡担保の設定者が、通常の営業の範囲内で譲渡担保の
目的を構成する個々の動産を売却した場合には、買主である第三
者は、当該動産について確定的に所有権を取得することができる。

## 207 ☐☐☐ 　　　　　　　　　　　　　　平31-15-オ

構成部分の変動する集合動産を目的とする集合物譲渡担保権設定
契約において通常の営業の範囲内でその構成部分である動産を売
却する権限を付与されていた譲渡担保権設定者が、その範囲を超
えた売却をした場合において、譲渡担保権者が対抗要件を具備し
ていたときは、売却された動産が集合物から離脱したかどうかに
かかわらず、その所有権は、譲渡担保権の負担付きで買主に移転
する。

○ **205**

構成部分の変動する集合動産を目的とする集合物譲渡担保権の効力は、譲渡担保の目的である集合動産を構成するに至った動産が滅失した場合にその損害をてん補するために譲渡担保権設定者に対して支払われる損害保険金に係る請求権に及ぶ（最決平22.12.2）。

○ **206**

構成部分の変動する集合動産に譲渡担保を設定した者は、その通常の範囲内で、当該譲渡担保を構成している動産を第三者に売却した場合、当該第三者は、譲渡担保権の拘束を受けることなく、確定的に所有権を取得することができる（最判平18.7.20）。

× **207**

対抗要件を備えた集合動産譲渡担保権の設定者がその目的物である動産につき通常の営業の範囲を超える売却処分をした場合には、譲渡担保契約に定められた保管場所から搬出されるなどして当該譲渡担保の目的である集合物から離脱したと認められる場合でない限り、当該処分の相手方は目的物の所有権を承継取得することができない（最判平18.7.20）。

担保物権

❺ 非典型担保

## 208 □□□ 平30-15-エ

Aは、Bに対する貸金債権（元金のほか、利息及び遅延損害金を含む。）を担保するために、Bから、構成部分の変動する集合動産を目的とする譲渡担保として、甲倉庫内にある全ての鋼材についての帰属清算型の譲渡担保権の設定を受け、占有改定の方法によりその引渡しを受けた。Aが譲渡担保権を実行しようとした際には、5年分の遅延損害金が発生していた。この場合において、Aの譲渡担保権によって担保される遅延損害金の範囲は、最後の2年分に限られない。

## 209 □□□ 令3-15-エ（平27-15-イ）

所有する動産に譲渡担保権を設定した債務者は、被担保債権の弁済と引換えに譲渡担保権の目的物を返還することを請求することができる。

## 210 □□□ 平27-15-ウ（令3-15-オ）

不動産を目的とする譲渡担保権の実行に伴って譲渡担保権設定者が取得する清算金請求権と譲渡担保権者の譲渡担保契約に基づく当該譲渡担保の目的不動産の引渡請求権とは同時履行の関係に立ち、譲渡担保権者は、譲渡担保権設定者からその引渡債務の履行の提供を受けるまでは、自己の清算金支払債務の全額について履行遅滞による責任を負わない。

## 211 □□□ 平21-15-エ（平26-15-ウ）

譲渡担保権の設定者である債務者は、被担保債権の弁済期を経過した後であっても、譲渡担保権者が担保権の実行を完了させるまでの間は、債務の全額を弁済して、目的物を取り戻すことができる。

譲渡担保権によって担保されるべき債権の範囲については、強行法規又は公序良俗に反しない限り、その設定契約の当事者間において自由にこれを定めることができ、第三者に対する関係においても、抵当権に関する375条又は根抵当権に関する398条の3の規定に準ずる制約を受けない（最判昭61.7.15）。したがって、Aの譲渡担保権によって担保される遅延損害金の範囲は、最後の2年分に限られない。

× **209**

債務の弁済と譲渡担保の目的物の返還とは、前者が後者に対し先履行の関係にあり、同時履行の関係に立つものではない（最判平6.9.8）。

○ **210**

譲渡担保権者が債務者である譲渡担保権設定者に対し、譲渡担保権の実行として目的不動産の引渡しを求めてきたときは、特段の事情がある場合を除き、当該設定者は、清算金の支払と引換えにその履行をすべき旨を主張することができる（最判昭46.3.25）。すなわち、設定者の清算金請求権と譲渡担保権者の目的不動産引渡請求権との間には、同時履行の関係が認められている。

○ **211**

受戻権の限界について、弁済期の経過後であっても、債権者が担保権の実行を完了するまでの間は、債務者は、債務の全額を弁済して譲渡担保を消滅させ、目的不動産の所有権を回復することができる（最判昭62.2.12）。

担保物権

❺ 非典型担保

## 212 □□□　　　　　　　　平26-15-イ（平30-15-オ、令2-15-イ）

譲渡担保権者が被担保債権の弁済期後に目的不動産を第三者に譲渡した場合には、譲渡担保権を設定した債務者は、当該第三者の主観的態様にかかわらず、債務の全額を弁済して目的不動産を受け戻すことができない。

## 213 □□□　　　　　　　　平24-15-ウ（平28-15-イ、令2-15-ウ）

譲渡担保権の設定者は、被担保債権の弁済期を経過した後においては、譲渡担保の目的物についての受戻権を放棄して、譲渡担保権者に対し、譲渡担保の目的物の評価額から被担保債権額を控除した金額の清算金を請求することができる。

## 214 □□□　　　　　　　　　　　　　平26-15-ア（令2-15-オ）

譲渡担保権者の債権者が被担保債権の弁済期後に目的不動産を差し押さえ、その旨の登記がされた場合には、譲渡担保権を設定した債務者は、当該登記後に自己の債務の全額を弁済しても、当該債権者に対し、目的不動産の所有権を主張することができない。

## 215 □□□　　　　　　　　　　　　　平27-15-エ（平21-15-オ）

不動産を目的とする譲渡担保の被担保債権の弁済期が到来し、債務者が被担保債権を弁済した後に、譲渡担保権者が目的不動産を第三者に売却した場合には、当該第三者は、被担保債権が弁済されていることを知らず、かつ、知らないことに過失がないときに限り、目的不動産の所有権を主張することができる。

○ **212**

被担保債権の弁済期後に、譲渡担保権者が目的不動産を譲渡した場合、たとえその譲受人が背信的悪意者に当たるときであっても、譲渡担保を設定した債務者は目的不動産の受戻しをすることはできない（最判平6.2.22）。

× **213**

譲渡担保権者が清算金の支払又は提供をせず、清算金がない旨の通知もしない間に譲渡担保権の受戻権を放棄しても、譲渡担保権者に対して清算金の請求をすることができないものと解すべきである（最判平8.11.22）。

○ **214**

不動産を目的とする譲渡担保において、被担保債権の弁済期後に譲渡担保権者の債権者が目的不動産を差し押さえ、その旨の登記がされたときは、設定者は、差押登記後に債務の全額を弁済しても、第三者異議の訴えにより強制執行の不許を求めることはできない（最判平18.10.20）。

× **215**

債務者が弁済によって譲渡担保権を消滅させた後に、目的物たる不動産が譲渡担保権者から第三者に譲渡された場合、譲渡担保権設定者は、登記がなければ、当該土地所有権を当該第三者に対抗することができない（最判昭62.11.12）。

担保物権

**❺** 非典型担保

## 216 □□□ 　　　　　　　　　　　　　　　　平28-15-ウ

帰属清算型の譲渡担保においては、債権者が清算金の支払若しく
はその提供又は清算金がない旨の通知をせず、かつ、債務者も債
務の弁済をしないうちに、債権者が目的不動産を第三者に売却し
たときは、その時点を基準として清算金の有無及びその額が確定
される。

## 217 □□□ 　　　　　　　　　　　　　　　　　令2-15-ア

不動産に帰属清算型の譲渡担保権を設定した債務者が弁済期に債
務の弁済をせず、譲渡担保権者が債務者に対して目的不動産を確
定的に自己の所有に帰属させる旨の意思表示をした場合において、
清算金が生じないときは、債務者は、その意思表示の時に目的不
動産の所有権を確定的に失う。

## 218 □□□ 　　　　　　　　　　　　　　　　平19-12-エ

所有権を留保した売買契約に基づき売主から動産の引渡しを受け
た買主が、当該所有権の留保について善意無過失である第三者に
対し当該動産につき譲渡担保権を設定して占有改定を行った場合
には、当該売主は、当該第三者に対し、当該動産の所有権を対抗
することができない。

## 219 □□□ 　　　　　　　　　　　　　　　　平29-15-イ

甲が、乙に対する手形金債権を担保するために、乙の丙に対する
請負代金債権の弁済を乙に代わり受領することの委任を乙から受
け、丙がその代理受領を承認した場合において、丙が乙に請負代
金を支払ったために甲がその手形金債権の満足を受けられなかっ
たときは、丙がその承認の際担保の事実を知っていたとしても、丙
は、甲に対し不法行為に基づく損害賠償責任を負わない。

## ○ 216

帰属清算型の譲渡担保においては、債権者が清算金の支払若しくはその提供又は目的不動産の適正評価額が債務の額を上回らない旨の通知をせず、かつ、債務者も債務の弁済をしないうちに、債権者が目的不動産を第三者に売却等をしたときは、その時点を基準時として清算金の有無及びその額が確定される（最判昭62.2.12）。

## × 217

清算金が生じないときでも、債権者は、目的不動産の適正評価額が債務の額を上回らない旨の通知をしない限り、確定的に所有権を取得せず、債務者は所有権を確定的に失わない（最判昭62.2.12参照）。

## × 218

譲渡担保権も即時取得の適用があるが、占有改定による占有取得では即時取得は成立しない（最判昭35.2.11）ことから、当該第三者は譲渡担保権を即時取得することはできない。したがって、当該売主は、当該第三者に対し、当該動産の所有権を対抗することができる。

## × 219

甲の乙に対する手形金債権を担保する目的で、乙が丙に対する請負代金債権の代理受領を甲に委任し、丙が甲に対し当該代理受領を承認しながら、請負代金を乙に支払ったため、甲が手形金債権の満足を受けられなくなった場合において、丙が当該承認の際担保の事実を知っていたなどの事情があるときは、丙は、甲に対し過失による不法行為責任を負う（最判昭44.3.4）。

担保物権

❺ 非典型担保

# ❻ 根抵当権

根抵当権は、一定の範囲に属する不特定の債権を担保する抵当権であり、根抵当権設定契約の当時既に発生している債権を被担保債権とすることはできない。

第三者が振り出し、債務者が裏書をした手形上又は小切手上の請求権は、債務者との一定の種類の取引によって生ずるものでなければ、根抵当権の担保すべき債権とすることができない。

根抵当権の被担保債権の範囲に含まれる債権に係る保証人が元本確定前に保証債務を履行した場合、保証人は、その債権について根抵当権を行使することはできない。

元本の確定前に根抵当権者から債権を取得した者は、その債権について根抵当権を行使することができない。

根抵当権の実行によって優先的に弁済を受けることができる債権は、根抵当権の被担保債権のうち、元本の確定時に履行期が到来していたものに限られる。

× **220**

根抵当権は、一定の範囲に属する不特定の債権を担保する抵当権である（398の2 I）。しかし、根抵当権により担保される債権が不特定であるといっても、根抵当権設定の際に現存する特定の債権を当事者の合意で被担保債権に加えることは可能である。

× **221**

特定の原因に基づいて債務者との間に継続して生ずる債権又は手形上若しくは小切手上の請求権又は電子記録債権は、398条の2第2項の規定にかかわらず、根抵当権の担保すべき債権とすることができる（398の2Ⅲ）。

○ **222**

元本確定前の根抵当権は随伴性を有しないため、保証人が債権者に弁済した場合であっても、債権者に代位して根抵当権を取得することはできない。

○ **223**

元本の確定前に根抵当権者から債権を取得した者は、その債権について根抵当権を行使することができない（398の7 I 本文）。

× **224**

根抵当権によって、確定した元本並びに利息その他の定期金及び債務の不履行によって生じた損害の賠償の全部が極度額の範囲内で担保される（398の3）。元本の確定時において、債権としての法律上の存在に必要な要件が備わっていれば、弁済期が未到来でも、確定した元本に含まれる。

担保物権

**6** 根抵当権

## 225 ☐☐☐  平15-13-ウ（平22-15-オ、平26-14-ウ）

不動産売買の先取特権については、売買代金及び利息の支払がされていない旨の登記がされていても、権利を行使し得る利息の範囲は最後の2年分に限られるが、根抵当権については、利息は元本と合わせて極度額を超えなければ最後の2年分に限られない。

## 226 ☐☐☐  平16-15-イ（平2-13-5、平26-14-イ、令2-14-ア）

被担保債権の範囲を変更する場合、後順位抵当権者の承諾が必要である。

## 227 ☐☐☐  平22-15-ア

根抵当権設定者と債務者が異なる根抵当権について、元本の確定前であれば、根抵当権者は、根抵当権設定者と合意すれば、債務者の承諾を得ずに、その被担保債権の範囲を変更することができる。

## 228 ☐☐☐  平29-14-ア

根抵当権の担保すべき債権の範囲の変更について、元本の確定前に登記をしなかったときは、その変更をしなかったものとみなされる。

## 229 ☐☐☐  平16-15-ウ（平2-13-2、令2-14-イ）

根抵当権の極度額を変更するには、利害関係人全員の承諾を得なければならない。

○ **225**

先取特権は、目的物の占有を要件としない担保物権である点で抵当権に類似するため、抵当権の規定が準用される（341）。したがって、不動産売買の先取特権については、権利を行使し得る利息の範囲は、満期後に特別の登記をしたときを除き、その満期となった最後の2年分に限られる（341・375Ⅰ本文）。これに対して、根抵当権については、確定した元本、利息その他定期金及び債務不履行によって生じた損害の賠償の全部について、極度額を限度として根抵当権によって担保される（398の3Ⅰ）。

× **226**

根抵当権の担保すべき債権の範囲の変更をする場合、後順位抵当権者の承諾は不要である（398の4Ⅰ・Ⅱ）。

○ **227**

根抵当権の元本確定前において、根抵当権設定者と債務者が異なるときは、根抵当権者と根抵当権設定者の合意により、根抵当権の担保すべき債権の範囲の変更をすることができる（398の4Ⅰ）。この場合、債務者の承諾は要しない。

○ **228**

元本の確定前においては、根抵当権の担保すべき債権の範囲の変更をすることができるが、当該変更について元本の確定前に登記をしなかったときは、その変更をしなかったものとみなされる（398の4Ⅰ・Ⅲ）。

○ **229**

根抵当権の極度額の変更は、利害関係人の承諾を得なければすることができない（398の5）。

担保物権

❻ 根抵当権

## 230 □□□ 平26-14-オ

根抵当権の極度額の変更は、元本の確定前に限り、行うことがで
きる。

## 231 □□□ 平26-14-ア

根抵当権の元本の確定期日は、根抵当権の設定時に定めなければ
ならない。

## 232 □□□ 令2-14-ウ

根抵当権者と根抵当権設定者は、後順位の抵当権者の承諾を得る
ことなく、根抵当権の担保すべき元本の確定すべき期日を変更す
ることができる。

## 233 □□□ 平25-15-イ（平元-12-3）

元本の確定前に、根抵当権の被担保債権の範囲に含まれる債権に
ついて債権者の交替による更改がされた場合には、更改の当事者
の合意によって、更改前の債務の担保として設定されていた根抵
当権を更改後の債務に移すことができ、これによって根抵当権を
行使することができる。ただし、第三者が根抵当権を設定してい
た場合には、その承諾を得なければならない。

## × 230

根抵当権の極度額の変更は、元本の確定の前後を問わず、利害関係を有する者の承諾を得れば、することができる（398の5）。

## × 231

根抵当権の担保すべき元本については、その確定すべき期日を定め又は変更することができる（398の6Ⅰ）。すなわち、元本確定期日は必ずしも定める必要はない。

## ○ 232

根抵当権の担保すべき元本については、その確定すべき期日を定め又は変更することができる（398の6Ⅰ）。そして、元本確定期日の変更をする場合、後順位の抵当権者その他の第三者の承諾を得ることを要しない（398の6Ⅱ・398の4Ⅱ）。

## × 233

更改は、同一性を有しない新たな債務を成立させることによって旧債務を消滅させる契約である（513）。この点、更改がされた場合、その当事者は質権又は抵当権を新債務に移すことができる（518）が、元本確定前の根抵当権については、債権者又は債務者の交替による更改がされた場合、518条の規定にかかわらず、根抵当権を新債務に移すことはできない（398の7Ⅲ）。

担保物権

❻ 根抵当権

元本の確定前に、根抵当権者が死亡し、相続が開始した場合、根抵当権は、相続開始の時に存する債権のほか、相続人と根抵当権設定者との合意により定めた相続人が相続開始の後に取得する債権を担保する。もっとも、この合意について相続の開始後6か月以内に登記をしないときは、担保すべき元本は、相続開始の時に確定したものとみなされる。

元本の確定前に債務者について相続が開始したときは、根抵当権の担保すべき元本は、当然に確定する。

債務者ではない根抵当権設定者が死亡した場合、根抵当権の担保すべき元本は、確定する。

元本の確定前に債務者について合併があった場合には、その債務者が根抵当権設定者であるときを除き、根抵当権設定者は、元本の確定を請求することができる。

根抵当権者は、元本の確定前において、根抵当権設定者の承諾を得ることなく、その根抵当権を譲り渡すことができる。

○ **234**

元本の確定前に根抵当権者について相続が開始したときは、根抵当権は、相続開始の時に存する債権のほか、相続人と根抵当権設定者との合意により定めた相続人が相続の開始後に取得する債権を担保する（398の8Ⅰ）。そして、相続人と根抵当権設定者との間でされた、指定根抵当権者の合意については、相続開始後6か月以内に登記をしないときは、担保すべき元本は、相続開始の時に確定したものとみなされる（398の8Ⅳ）。

× **235**

合意について相続の開始後6か月以内に登記をしないときは、担保すべき元本は、相続開始の時に確定したものとみなされる（398の8Ⅳ）。

× **236**

債務者ではない根抵当権設定者の死亡は、根抵当権の元本確定事由に挙げられていない（398の8・398の20Ⅰ参照）。

○ **237**

元本の確定前にその債務者について合併があったときは、根抵当権設定者は、担保すべき元本の確定を請求することができる（398の9Ⅲ本文・Ⅱ）。ただし、その債務者が根抵当権設定者であるときは、元本の確定を請求することができない（398の9Ⅲ但書）。

× **238**

元本の確定前においては、根抵当権者は、根抵当権設定者の承諾を得て、その根抵当権を譲り渡すことができる（398の12Ⅰ）。

## 239 ☐☐☐

元本の確定前に根抵当権の一部譲渡をするときには、根抵当権設定者の承諾は、不要である。

## 240 ☐☐☐

根抵当権の一部譲渡の登記は、対抗要件ではなく効力発生要件である。

## 241 ☐☐☐

元本の確定前においては、根抵当権者は、根抵当権の順位を譲渡することはできず、先順位の抵当権者から抵当権の順位を譲り受けることもできない。

## 242 ☐☐☐

根抵当権者は、元本の確定前において、根抵当権設定者の承諾を得ることなく、その根抵当権を他の債権の担保とすることができる。

## 243 ☐☐☐

根抵当権が担保すべき元本の確定すべき期日の定めがない場合は、根抵当権設定者は、根抵当権の設定後いつでも、根抵当権者に対し、元本の確定を請求することができる。

**×** **239**

根抵当権の一部譲渡をするには、根抵当権設定者の承諾が必要である（398の13）。

**×** **240**

根抵当権の一部譲渡（398の13）とは、譲渡人と譲受人の間に根抵当権の共有を生じさせるものである。一部譲渡の効力発生のためには、譲渡人と譲受人の合意及び根抵当権設定者の承諾が必要であるが、登記は必要ない。**登記は対抗要件である。**

**×** **241**

元本の確定前においては、根抵当権者は、376条1項（抵当権の処分）の規定による根抵当権の処分をすることができない（398の11 I 本文）。しかし、元本の確定前であっても、先順位抵当権者から、順位の譲渡又は順位の放棄を受けることはできる（398の15参照）。

**○** **242**

根抵当権者は、元本確定前においては、376条1項の規定による根抵当権の処分をすることができない（398の11 I 本文）。しかし、その根抵当権を他の債権の担保とすることはできる（398の11 I 但書）。そして、この場合、根抵当権設定者の承諾を得ることを要しない。

**×** **243**

根抵当権設定者は、根抵当権の設定の時から**3年を経過したとき**は、元本の確定を請求することができる（398の19 I 前段・Ⅲ）。

担保物権

**6** 根抵当権

## 244 □□□ 平18-16-イ

根抵当権者は、元本確定期日の定めがない限りいつでも根抵当権の元本の確定を請求することができ、元本の確定後に根抵当権の被担保債権の全部を譲り受けた者は、当該根抵当権を実行することができる。

## 245 □□□ 平29-14-エ（令3-14-エ）

元本の確定後においては、根抵当権設定者は、その根抵当権の極度額を、現に存する債務の額と以後2年間に生ずべき利息その他の定期金及び債務の不履行による損害賠償の額とを加えた額に減額することを請求することができる。

## 246 □□□ 平16-15-オ（令5-15-オ）

元本の確定後の被担保債権額が根抵当権の極度額を超えている場合において、抵当不動産の第三取得者は、根抵当権者が極度額に相当する額の金銭の受領を拒んだときは、同額の金銭を供託して根抵当権の消滅を請求することができる。

○ **244**

根抵当権の元本確定期日の定めがない場合、根抵当権者は、いつでも元本の確定を請求することができる（398の19Ⅱ）。元本確定後に債権を譲渡したときは、随伴性により根抵当権もこれに伴って移転し、元本の確定後に根抵当権の被担保債権の全部を譲り受けた者は、当該根抵当権を**実行する**ことができる。

○ **245**

元本の確定後においては、根抵当権設定者は、その根抵当権の極度額を、現に存する債務の額と以後２年間に生ずべき利息その他の定期金及び債務の不履行による損害賠償の額とを加えた額に減額することを**請求する**ことができる（398の21Ⅰ）。

○ **246**

元本確定後において現に存する債務の額が根抵当権の極度額を超えるときは、他人の債務を担保するためその根抵当権を設定した者又は抵当不動産につき所有権、地上権、永小作権若しくは、第三者に対抗することができる賃借権を取得した第三者は、その極度額に相当する金額を払渡し又はこれを供託してその根抵当権の消滅を請求することができる。その払渡し又は供託は、弁済の効力を有する（398の22Ⅰ）。

担保物権

❻ 根抵当権

# 《主要参考文献一覧》

＊「ジュリスト」（有斐閣）

＊「判例時報」（判例時報社）

＊「重要判例解説」（有斐閣）

＊「法律時報別冊　私法判例リマークス」（日本評論社）

＊「基本法コンメンタール民法総則〔第6版〕」（日本評論社）

＊「基本法コンメンタール物権〔第5版新条文対照補訂版〕」（日本評論社）

＊「基本法コンメンタール債権総論〔第4版新条文対照補訂版〕」（日本評論社）

＊「基本法コンメンタール債権各論Ⅰ〔第4版新条文対照補訂版〕」（日本評論社）

＊「基本法コンメンタール債権各論Ⅱ〔第4版新条文対照補訂版〕」（日本評論社）

＊「基本法コンメンタール親族〔第5版〕」（日本評論社）

＊「基本法コンメンタール相続〔第5版〕」（日本評論社）

＊「基本法コンメンタール新借地借家法」（日本評論社）

＊「新基本法コンメンタール物権」（日本評論社）

＊「新基本法コンメンタール債権1」（日本評論社）

＊「新基本法コンメンタール債権2」（日本評論社）

＊「新基本法コンメンタール親族〔第2版〕」（日本評論社）

＊「新基本法コンメンタール相続」（日本評論社）

＊「新版注釈民法(1) ～ (3)、(6)、(7)、(9)、(10)、(13) ～ (18)、(21)、(23) ～ (26)、(28)」（有斐閣）

＊「注釈民法(4) ～ (6)、(10)、(11)、(20)、(22)」（有斐閣）

＊「新注釈民法(1)、(3)、(5) ～ (7)、(14) ～ (17)、(19)」（有斐閣）

＊潮見佳男＝道垣内弘人編「民法判例百選Ⅰ〔第9版〕」（有斐閣）

＊窪田充見＝森田宏樹編「民法判例百選Ⅱ〔第9版〕」（有斐閣）

＊大村敦志＝沖野眞已編「民法判例百選Ⅲ〔第3版〕」（有斐閣）

＊水野紀子＝大村敦志＝窪田充見編「家族法判例百選〔第7版〕」（有斐閣）

＊我妻榮＝有泉亨＝清水誠＝田山輝明著「我妻・有泉コンメンタール民法〔第8版〕」（日本評論社）

＊遠藤浩＝川井健＝原島重義＝広中俊雄＝水本浩＝山本進一編「民法(1)〔第4版増補補訂3版〕、(2)(3)〔第4版増補版〕、(4)(6)(8)(9)〔第4版増補補訂版〕、(5)(7)〔第4版〕」（有斐閣双書）

＊山田卓生＝河内宏＝安永正昭＝松久三四彦著「民法Ⅰ〔第4版〕」（有斐閣Sシリーズ）

＊淡路剛久＝鎌田薫＝原田純孝＝生熊長幸著「民法Ⅱ〔第5版〕」（有斐閣Sシリーズ）

＊野村豊弘＝栗田哲男＝池田真朗＝永田眞三郎＝野澤正充著「民法Ⅲ〔第4版〕」（有斐閣Sシリーズ）

＊藤岡康宏＝磯村保＝浦川道太郎＝松本恒雄著「民法Ⅳ〔第4版〕」（有斐閣Ｓシリーズ）

＊佐藤義彦＝伊藤昌司＝右近健男著「民法Ⅴ〔第3版〕」（有斐閣Ｓシリーズ）

＊内田貴著「民法Ⅰ・総則・物権総論〔第4版〕」（東京大学出版会）

＊内田貴著「民法Ⅱ・債権各論〔第3版〕」（東京大学出版会）

＊内田貴著「民法Ⅲ・債権総論・担保物権〔第4版〕」（東京大学出版会）

＊内田貴著「民法Ⅳ・親族・相続〔補訂版〕」（東京大学出版会）

＊近江幸治著「民法講義Ⅰ・民法総則〔第7版〕」（成文堂）

＊近江幸治著「民法講義Ⅱ・物権法〔第4版〕」（成文堂）

＊近江幸治著「民法講義Ⅲ・担保物権〔第3版〕」（成文堂）

＊近江幸治著「民法講義Ⅳ・債権総論〔第4版〕」（成文堂）

＊近江幸治著「民法講義Ⅴ・契約法〔第4版〕」（成文堂）

＊近江幸治著「民法講義Ⅵ・事務管理・不当利得・不法行為〔第3版〕」（成文堂）

＊近江幸治著「民法講義Ⅶ・親族法・相続法」（成文堂）

＊船越隆司著「民法総則〔第3版〕」（尚学社）

＊船越隆司著「物権法〔第3版〕」（尚学社）

＊船越隆司著「担保物権〔第3版〕」（尚学社）

＊船越隆司著「債権総論」（尚学社）

＊我妻榮＝有泉亨＝川井健著「民法1〔第4版〕・2〔第3版〕」（勁草書房）

＊我妻榮＝有泉亨＝遠藤浩＝川井健著「民法3〔第4版〕」（勁草書房）

＊我妻榮著「（民法講義Ⅰ）新訂・民法総則」（岩波書店）

＊我妻榮著「（民法講義Ⅱ）新訂・物権法」（岩波書店）

＊我妻榮著「（民法講義Ⅲ）新訂・担保物権法」（岩波書店）

＊我妻榮著「（民法講義Ⅳ）新訂・債権総論」（岩波書店）

＊我妻榮著「（民法講義Ⅴ1）債権各論・上」（岩波書店）

＊我妻榮著「（民法講義Ⅴ2）債権各論・中1」（岩波書店）

＊我妻榮著「（民法講義Ⅴ3）債権各論・中2」（岩波書店）

＊我妻榮著「（民法講義Ⅴ4）債権各論・下1」（岩波書店）

＊川井健著「民法概論1・民法総則〔第4版〕」（有斐閣）

＊川井健著「民法概論2・物権〔第2版〕」（有斐閣）

＊川井健著「民法概論3・債権総論〔第2版補訂版〕」（有斐閣）

＊川井健著「民法概論4・債権各論〔補訂版〕」（有斐閣）

＊川井健著「民法概論5・親族相続〔補訂版〕」（有斐閣）

＊佐久間毅＝石田剛＝山下純司＝原田昌和著「LegalQuest　民法Ⅰ・総則〔第2版補訂版〕」（有斐閣）

＊石田剛＝武川幸嗣＝占部洋之＝田髙寛貴＝秋山靖浩著「LegalQuest　民法Ⅱ・物権〔第4版〕」（有斐閣）

＊手島豊＝藤井徳展＝大澤慎太郎著「LegalQuest　民法Ⅲ・債権総論」（有斐閣）

＊曽野裕夫＝松井和彦＝丸山絵美子著「LegalQuest　民法Ⅳ・契約」（有斐閣）

＊橋本佳幸＝大久保邦彦＝小池泰著「LegalQuest　民法Ⅴ・事務管理・不当利得・不法行為〔第2版〕」（有斐閣）

＊前田陽一＝本山敦＝浦野由紀子著「LegalQuest　民法Ⅵ・親族相続〔第6版〕」（有斐閣）

＊平野裕之著「民法総則」（日本評論社）

＊平野裕之著「債権総論」（日本評論社）

＊平野裕之著「債権各論1」（日本評論社）

＊平野裕之著「債権各論2」（日本評論社）

＊佐久間毅著「民法の基礎1・総則〔第5版〕」（有斐閣）

＊佐久間毅著「民法の基礎2・物権〔第2版〕」（有斐閣）

＊加藤雅信著「民法総則〔第2版〕」（有斐閣）

＊加藤雅信著「事務管理・不当利得・不法行為〔第2版〕」（有斐閣）

＊川島武宜著「民法総則」（有斐閣法律学全集）

＊四宮和夫＝能見善久著「民法総則〔第9版〕」（弘文堂）

＊山川一陽＝小野健太郎著「要説民法総則・物権法〔3訂版〕」（法研出版）

＊山本敬三著「民法講義Ⅰ　総則〔第3版〕」（有斐閣）

＊舟橋諄一著「物権法」（有斐閣法律学全集）

＊高木多喜男著「担保物権法〔第4版〕」（有斐閣法学叢書2）

＊道垣内弘人著「担保物権法〔第4版〕」（有斐閣）

＊柚木馨＝高木多喜男著「担保物権法〔第3版〕」（有斐閣法律学全集）

＊奥田昌道著「債権総論〔増補版〕」（悠々社）

＊潮見佳男著「法律学の森　新債権総論Ⅰ」（信山社）

＊潮見佳男著「法律学の森　新債権総論Ⅱ」（信山社）

＊潮見佳男著「プラクティス民法　債権総論〔第5版補訂版〕」（信山社）

＊潮見佳男著「民法(全)〔第3版〕」（有斐閣）

＊加藤一郎著「不法行為〔増補版〕」（有斐閣法律学全集）

＊山野目章夫著「民法概論1・民法総則〔第2版〕」（有斐閣）

＊山野目章夫著「民法概論2・物権法」（有斐閣）

＊山野目章夫著「民法概論4・債権各論」（有斐閣）

＊河上正二著「民法総則講義」（日本評論社）

＊松岡久和著「物権法」（成文堂）

＊松岡久和著「担保物権法」（日本評論社）

＊松井宏興著「物権法〔第2版〕」（成文堂）

＊松井宏興著「担保物権法〔第2版〕」（成文堂）

＊松井宏興著「債権総論〔第2版〕」（成文堂）

＊中田裕康著「債権総論〔第4版〕」（岩波書店）

＊中田裕康著「契約法〔新版〕」（有斐閣）

＊中舎寛樹著「物権法　物権・担保物権」（日本評論社）

＊中舎寛樹著「債権法　債権総論・契約」（日本評論社）

＊安永正昭著「講義　物権・担保物権法〔第4版〕」（有斐閣）

＊稲本洋之助・澤野順彦編「コンメンタール借地借家法〔第4版〕」（日本評論社）

＊裁判所職員総合研修所監修「物権法講義案〔再訂版〕」（司法協会）

＊裁判所職員総合研修所監修「担保物権法講義案〔3訂版〕」（司法協会）

＊裁判所職員総合研修所監修「親族法相続法講義案〔6訂再訂版〕」（司法協会）

＊潮見佳男著「詳解相続法〔第2版〕」（弘文堂）

＊二宮周平著「新法学ライブラリー9・家族法〔第5版〕」（新世社）

＊窪田充見著「家族法〔第4版〕」（有斐閣）

＊清水節著「判例先例親族法Ⅱ親子」（日本加除出版）

＊清水節著「判例先例親族法Ⅲ親権」（日本加除出版）

＊松原正明著「全訂判例先例相続法Ⅰ～Ⅴ」（日本加除出版）

＊新公益法人制度研究会編著「一問一答　公益法人関連三法」（商事法務）

＊飛澤知行編著「一問一答　平成23年　民法等改正」（商事法務）

＊筒井健夫＝村松秀樹　編著「一問一答　民法（債権関係）改正」（商事法務）

＊潮見佳男著「民法（債権関係）改正法の概要」（金融財務事情研究会）

＊山川一陽＝松嶋隆弘　編著「相続法改正のポイントと実務への影響」（日本加除出版）

＊堂薗幹一郎＝野口宣大編著「一問一答　新しい相続法・平成30年民法等（相続法）改正、遺言書保管法の解説」（商事法務）

## 令和7年版 司法書士 合格ゾーン ポケット判 択一過去問肢集 ①民法 I

2021年11月5日　第1版　第1刷発行
2024年9月20日　第4版　第1刷発行

編著者●株式会社　東京リーガルマインド
　　　　LEC総合研究所　司法書士試験部

発行所●株式会社　東京リーガルマインド
　　　　〒164-0001　東京都中野区中野4-11-10
　　　　アーバンネット中野ビル
　　　　LECコールセンター　　0570-064-464
　　　　受付時間　平日9：30〜19：30/土・日・祝10：00〜18：00
　　　　※このナビダイヤルは通話料お客様ご負担となります。
　　　　書店様専用受注センター　　TEL 048-999-7581 / FAX 048-999-7591
　　　　受付時間　平日9：00〜17：00/土・日・祝休み
　　　　www.lec-jp.com/

印刷・製本●情報印刷株式会社

# 新15ヵ月合格コース

## 短期合格のノウハウが詰まったカリキュラム

LECが初めて司法書士試験の学習を始める方に自信をもってお勧めする講座が新15ヵ月合格コースです。司法書士受験指導40年以上の積み重ねたノウハウと、試験傾向の徹底的な分析により、これだけ受講すれば合格できるカリキュラムとなっております。司法書士試験対策は、毎年一発・短期合格を輩出してきたLECにお任せください。

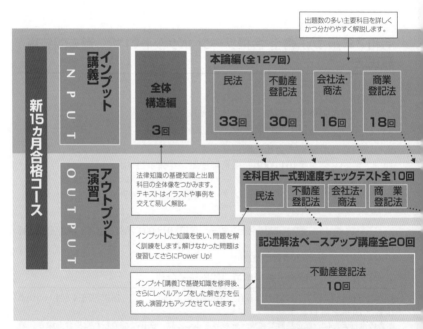

出題数の多い主要科目を詳しくかつ分かりやすく解説します。

**新15ヵ月合格コース**

**INPUT**

**インプット【講義】**

**全体構造編** 3回

**本論編（全127回）**

| 民法 | 不動産登記法 | 会社法・商法 | 商業登記法 |
|---|---|---|---|
| 33回 | 30回 | 16回 | 18回 |

法律知識の基礎知識と出題科目の全体像をつかみます。テキストはイラストや事例を交えて易しく解説。

**OUTPUT**

**アウトプット【演習】**

**全科目択一式到達度チェックテスト全10回**

| 民法 | 不動産登記法 | 会社法・商法 | 商業登記法 |
|---|---|---|---|

インプットした知識を使い、問題を解く訓練をします。解けなかった問題は復習してさらにPower Up!

**記述解法ベースアップ講座全20回**

不動産登記法 10回

インプット[講義]で基礎知識を修得後、さらにレベルアップをした解き方を伝授し、演習力もアップさせていきます。

## インプットとアウトプットのリンクにより短期合格を可能に！

合格に必要な力は、適切な情報収集（インプット）→知識定着（復習）→実践による知識の確立（アウトプット）という３つの段階を経て身に付くものです。新15ヵ月合格コースではインプット講座に対応したアウトプットを提供し、これにより短期合格が確実なものとなります。

# 初学者向け総合講座

本コースは全くの初学者からスタートし、司法書士試験に合格することを狙いとしています。入門から合格レベルまで、必要な情報を詳しくかつ法律の勉強が初めての方にもわかりやすく解説します。

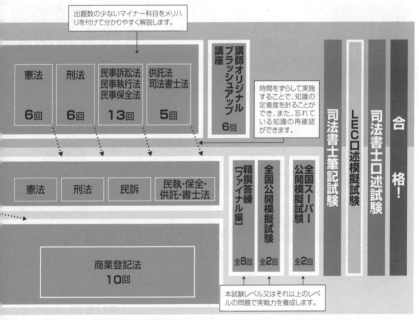

※本カリキュラムは、2024年8月1日現在のものであり、講座の内容・回数等が変更になる場合があります。予めご了承ください。

## 詳しくはこちら⇒ www.lec-jp.com/shoshi/

■お電話での講座に関するお問い合わせ 平日：9:30～19:30　土日祝：10:00～18:00
※このナビダイヤルは通話料お客様ご負担になります。※固定電話・携帯電話共通（一部のPHS・IP電話からのご利用可能）。

**LECコールセンター** 📱 **0570-064-464**

## 司法書士講座のご案内

# スマホで司法書士 **S式合格講座**

## スキマ時間を有効活用！1回15分で続けやすい講座

講義の視聴が**スマホ完結！**
**1回15分のユニット制だからスキマ時間にいつでもどこでも手軽に学習可能**です。忙しい方でも続けやすいカリキュラムとなっています。
本講座は、LECが40年以上の司法書士受験指導の中で積み重ねた学習方法、短期合格を果たすためのノウハウを凝縮し、本試験で必ず出題されると言ってもいい重要なポイントに絞って講義をしていきます。

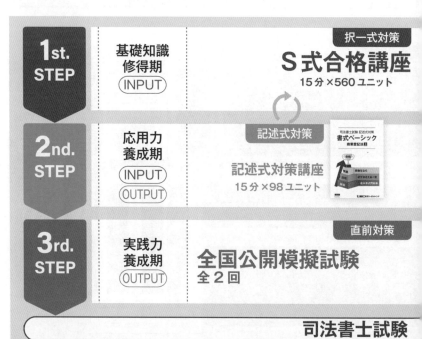

| **1st.** STEP | 基礎知識 修得期 (INPUT) | 択一式対策 **S式合格講座** 15分×560ユニット |
| **2nd.** STEP | 応用力 養成期 (INPUT) (OUTPUT) | 記述式対策 記述式対策講座 15分×98ユニット |
| **3rd.** STEP | 実践力 養成期 (OUTPUT) | 直前対策 **全国公開模擬試験** 全2回 |

**司法書士試験**

※過去問対策、問題演習対策を独学で行うのが不安な方には、それらの対策ができる講座・コースもご用意しています。

# 初学者向け通信講座

**こんな希望をお持ちの方におすすめ**
○これから初めて法律を学習していきたい
○通勤・通学、家事の合間のスキマ時間を有効活用したい
○いつでもどこでも手軽に講義を受講したい
○司法書士試験で重要なポイントに絞って学習したい
○独学での学習に限界を感じている

| 過去問対策 | 択一式対策 |
|---|---|

**過去問**
**演習講座**
15分
×60ユニット

**一問一答**
**オンライン**
**問題集**

# 全国スーパー公開模擬試験
**全2回**

※本カリキュラムは、2024年8月1日現在のものであり、講座の内容・回数等が変更になる場合があります。予めご了承ください。

## 詳しくはこちら⇒ www.lec-jp.com/shoshi/

■お電話での講座に関するお問い合わせ 平日：9：30～19：30　土日祝：10：00～18：00
※このナビダイヤルは通話料お客様ご負担になります。※固定電話・携帯電話共通（一部のPHS・IP電話からのご利用可能）。

**LECコールセンター** 📞 **0570-064-464**

**LEC** Webサイト ▷▷▷ **www.lec-jp.com/**

## 情報盛りだくさん！

 資格を選ぶときも，
講座を選ぶときも，
最新情報でサポートします！

▶**最**新情報
各試験の試験日程や法改正情報，対策
講座，模擬試験の最新情報を日々更新
しています。

▶**資**料請求
講座案内など無料でお届けいたします。

▶**受**講・受験相談
メールでのご質問を随時受付けており
ます。

▶**よ**くある質問
LECのシステムから，資格試験につい
てまで，よくある質問をまとめまし
た。疑問を今すぐ解決したいなら，ま
ずチェック！

▶**書**籍・問題集（LEC書籍部）
LECが出版している書籍・問題集・レ
ジュメをこちらで紹介しています。

## 充実の動画コンテンツ！

 ガイダンスや講演会動画，
講義の無料試聴まで
Webで今すぐCheck！

▶**動**画視聴OK
パンフレットやWebサイトを見て
もわかりづらいところを動画で説
明。いつでもすぐに問題解決！

▶**W**eb無料試聴
講座の第1回目を動画で無料試聴！
気になる講義内容をすぐに確認で
きます。

# LEC 全国学校案内

＊講座のお問合せ，受講相談は最寄りのLEC各校へ

## LEC本校

### ■ 北海道・東北

**札 幌**本校 ☎011(210)5002
〒060-0004 北海道札幌市中央区北4条西5-1 アスティ45ビル

**仙 台**本校 ☎022(380)7001
〒980-0022 宮城県仙台市青葉区五橋1-1-10 第二河北ビル

### ■ 関東

**渋谷駅前**本校 ☎03(3464)5001
〒150-0043 東京都渋谷区道玄坂2-6-17 渋東シネタワー

**池 袋**本校 ☎03(3984)5001
〒171-0022 東京都豊島区南池袋1-25-11 第15野萩ビル

**水道橋**本校 ☎03(3265)5001
〒101-0061 東京都千代田区神田三崎町2-2-15 Daiwa三崎町ビル

**新宿エルタワー**本校 ☎03(5325)6001
〒163-1518 東京都新宿区西新宿1-6-1 新宿エルタワー

**早稲田**本校 ☎03(5155)5501
〒162-0045 東京都新宿区馬場下町62 三朝庵ビル

**中 野**本校 ☎03(5913)6005
〒164-0001 東京都中野区中野4-11-10 アーバンネット中野ビル

**立 川**本校 ☎042(524)5001
〒190-0012 東京都立川市曙町1-14-13 立川MKビル

**町 田**本校 ☎042(709)0581
〒194-0013 東京都町田市原町田4-5-8 MIキューブ町田イースト

**横 浜**本校 ☎045(311)5001
〒220-0004 神奈川県横浜市西区北幸2-4-3 北幸GM21ビル

**千 葉**本校 ☎043(222)5009
〒260-0015 千葉県千葉市中央区富士見2-3-1 塚本大千葉ビル

**大 宮**本校 ☎048(740)5501
〒330-0802 埼玉県さいたま市大宮区宮町1-24 大宮GSビル

### ■ 東海

**名古屋駅前**本校 ☎052(586)5001
〒450-0002 愛知県名古屋市中村区名駅4-6-23 第三堀内ビル

**静 岡**本校 ☎054(255)5001
〒420-0857 静岡県静岡市葵区御幸町3-21 ペガサート

### ■ 北陸

**富 山**本校 ☎076(443)5810
〒930-0002 富山県富山市新富町2-4-25 カーニープレイス富山

### ■ 関西

**梅田駅前**本校 ☎06(6374)5001
〒530-0013 大阪府大阪市北区茶屋町1-27 ABC-MART梅田ビル

**難波駅前**本校 ☎06(6646)6911
〒556-0017 大阪府大阪市浪速区湊町1-4-1
大阪シティエアターミナルビル

**京都駅前**本校 ☎075(353)9531
〒600-8216 京都府京都市下京区東洞院通七条下ル2丁目
東塩小路町680-2 木村食品ビル

**四条烏丸**本校 ☎075(353)2531
〒600-8413 京都府京都市下京区烏丸通仏光寺下ル
大政所町680-1 第八長谷ビル

**神 戸**本校 ☎078(325)0511
〒650-0021 兵庫県神戸市中央区三宮町1-1-2 三宮セントラルビル

### ■ 中国・四国

**岡 山**本校 ☎086(227)5001
〒700-0901 岡山県岡山市北区本町10-22 本町ビル

**広 島**本校 ☎082(511)7001
〒730-0011 広島県広島市中区基町11-13 合人社広島紙屋町アネクス

**山 口**本校 ☎083(921)8911
〒753-0814 山口県山口市吉敷下東 3-4-7 リアライズⅢ

**高 松**本校 ☎087(851)3411
〒760-0023 香川県高松市寿町2-4-20 高松センタービル

**松 山**本校 ☎089(961)1333
〒790-0003 愛媛県松山市三番町7-13-13 ミツネビルディング

### ■ 九州・沖縄

**福 岡**本校 ☎092(715)5001
〒810-0001 福岡県福岡市中央区天神4-4-11 天神ショッパーズ
福岡

**那 覇**本校 ☎098(867)5001
〒902-0067 沖縄県那覇市安里2-9-10 丸姫産業第2ビル

### ■ EYE関西

**EYE 大阪**本校 ☎06(7222)3655
〒530-0013 大阪府大阪市北区茶屋町1-27 ABC-MART梅田ビル

**EYE 京都**本校 ☎075(353)2531
〒600-8413 京都府京都市下京区烏丸通仏光寺下ル
大政所町680-1 第八長谷ビル

## LEC提携校

\*提携校はLECとは別の経営母体が運営をしております。
\*提携校は実施講座およびサービスにおいてLECと異なる部分がございます。

### ■ 北海道・東北

**八戸中央校【提携校】**　☎0178(47)5011
〒031-0035　青森県八戸市寺横町13　第1朋友ビル　新教育センター内

**弘前校【提携校】**　☎0172(55)8831
〒036-8093　青森県弘前市城東中央1-5-2
まなびの森　弘前城東予備校内

**秋田校【提携校】**　☎018(863)9341
〒010-0964　秋田県秋田市八橋鯲沼町1-60
株式会社アキタシステムマネジメント内

### ■ 関東

**水戸校【提携校】**　☎029(297)6611
〒310-0912　茨城県水戸市見川2-3079-5

**所沢校【提携校】**　☎050(6865)6996
〒359-0037　埼玉県所沢市くすのき台3-18-4　所沢K・Sビル
合同会社LPエデュケーション内

**日本橋校【提携校】**　☎03(6661)1188
〒103-0025　東京都中央区日本橋茅場町2-5-6　日本橋大江戸ビル
株式会社大江戸コンサルタント内

### ■ 東海

**沼津校【提携校】**　☎055(928)4621
〒410-0048　静岡県沼津市新宿町3-15　萩原ビル
M-netパソコンスクール沼津校内

### ■ 北陸

**新潟校【提携校】**　☎025(240)7781
〒950-0901　新潟県新潟市中央区弁天3-2-20　弁天501ビル
株式会社大江戸コンサルタント内

**金沢校【提携校】**　☎076(237)3925
〒920-8217　石川県金沢市近岡町845-1　株式会社アイ・ピー・金沢内

**福井南校【提携校】**　☎0776(35)8230
〒918-8114　福井県福井市羽水2-701　株式会社ヒューマン・デザイン内

### ■ 関西

**和歌山駅前校【提携校】**　☎073(402)2888
〒640-8342　和歌山県和歌山市友田町2-145
KEG教育センタービル　株式会社KEGキャリア・アカデミー内

### ■ 中国・四国

**松江殿町校【提携校】**　☎0852(31)1661
〒690-0887　島根県松江市殿町517　アルファステイツ殿町
山路イングリッシュスクール内

**岩国駅前校【提携校】**　☎0827(23)7424
〒740-0018　山口県岩国市麻里布町1-3-3　岡村ビル　英光学院内

**新居浜駅前校【提携校】**　☎0897(32)5356
〒792-0812　愛媛県新居浜市坂井町2-3-8　パルティフジ新居浜駅前店内

### ■ 九州・沖縄

**佐世保駅前校【提携校】**　☎0956(22)8623
〒857-0862　長崎県佐世保市白南風町5-15　智翔館内

**日野校【提携校】**　☎0956(48)2239
〒858-0925　長崎県佐世保市椎木町336-1　智翔館日野校内

**長崎駅前校【提携校】**　☎095(895)5917
〒850-0057　長崎県長崎市大黒町10-10　KoKoRoビル
minatoコワーキングスペース内

**高原校【提携校】**　☎098(989)8009
〒904-2163　沖縄県沖縄市大里2-24-1
有限会社スキップヒューマンワーク内

# 書籍の訂正情報について

このたびは，弊社発行書籍をご購入いただき，誠にありがとうございます。
万が一誤りの箇所がございましたら，以下の方法にてご確認ください。

## 1 訂正情報の確認方法

書籍発行後に判明した訂正情報を順次掲載しております。
下記Webサイトよりご確認ください。

# www.lec-jp.com/system/correct/

## 2 ご連絡方法

上記Webサイトに訂正情報の掲載がない場合は，下記Webサイトの
入力フォームよりご連絡ください。

# lec.jp/system/soudan/web.html

フォームのご入力にあたりましては，「Web教材・サービスのご利用について」の
最下部の「ご質問内容」に下記事項をご記載ください。

・対象書籍名(○○年版，第○版の記載がある書籍は併せてご記載ください)
・ご指摘箇所(具体的にページ数と内容の記載をお願いいたします)

ご連絡期限は，次の改訂版の発行日までとさせていただきます。
また，改訂版を発行しない書籍は，販売終了日までとさせていただきます。

※上記「2ご連絡方法」のフォームをご利用になれない場合は，①書籍名，②発行年月日，③ご指摘箇所，を記載の上，郵送
にて下記送付先にご送付ください。確認した上で，内容理解の妨げとなる誤りについては，訂正情報として掲載させてい
ただきます。なお，郵送でご連絡いただいた場合は個別に返信しておりません。

送付先：〒164-0001 東京都中野区中野4-11-10 アーバンネット中野ビル
　　　　株式会社東京リーガルマインド 出版部 訂正情報係

・誤りの箇所のご連絡以外の書籍の内容に関する質問は受け付けておりません。
　また，書籍の内容に関する解説，受験指導等は一切行っておりませんので，あらかじめ
　ご了承ください。
・お電話でのお問合せは受け付けておりません。

# 講座・資料のお問合せ・お申込み

## LECコールセンター 0570-064-464

**受付時間：平日9：30～19：30／土・日・祝10：00～18：00**

※このナビダイヤルの通話料はお客様のご負担となります。
※このナビダイヤルは講座のお申込みや資料のご請求に関するお問合せ専用ですので，書籍の正誤に関
　するご質問をいただいた場合，上記「2ご連絡方法」のフォームをご案内させていただきます。